Evolução em dois mundos

Francisco Cândido Xavier
Waldo Vieira

Evolução em dois mundos

Pelo Espírito
André Luiz

Copyright © 1958 *by*
FEDERAÇÃO ESPÍRITA BRASILEIRA – FEB

27ª edição – 16ª impressão – 5 mil exemplares – 5/2024

ISBN 978-85-7328-804-9

Todos os direitos reservados. Nenhuma parte desta publicação pode ser reproduzida, armazenada ou transmitida, total ou parcialmente, por quaisquer métodos ou processos, sem autorização do detentor do *copyright*.

FEDERAÇÃO ESPÍRITA BRASILEIRA – FEB
SGAN 603 – Conjunto F – Avenida L2 Norte
70830-106 – Brasília (DF) – Brasil
www.febeditora.com.br
editorial@febnet.org.br
+55 61 2101 6161

Todo o papel empregado nesta obra possui certificação FSC® sob responsabilidade do fabricante obtido através de fontes responsáveis.
* marca registrada de Forest Stewardship Council

Pedidos de livros à FEB
Comercial
Tel.: (61) 2101 6161 – comercial@febnet.org.br

Adquirindo esta obra, você está colaborando com as ações de assistência e promoção social da FEB e com o Movimento Espírita na divulgação do Evangelho de Jesus à luz do Espiritismo.

Dados Internacionais de Catalogação na Publicação (CIP)
(Federação Espírita Brasileira – Biblioteca de Obras Raras)

L953e   Luiz, André (Espírito)

       Evolução em dois mundos / pelo Espírito André Luiz; [psicografado por] Francisco Cândido Xavier e Waldo Vieira. – 27. ed. – 16. imp. – Brasília: FEB, 2024.

       240 p.; 21 cm – (Coleção A vida no mundo espiritual; 10)

       Inclui índice geral

       ISBN 978-85-7328-804-9

       1. Espiritismo. 2. Obras psicografadas. I. Xavier, Francisco Cândido, 1910–2002. II. Vieira, Waldo, 1932–2015. III. Federação Espírita Brasileira. IV. Título. V. Coleção.

                                                     CDD 133.93
                                                     CDU 133.7
                                                     CDE 00.06.02

Sumário

Conceitos de Allan Kardec 7
Anotação 9
Nota ao leitor 11

PRIMEIRA PARTE

1. Fluido Cósmico 16
2. Corpo espiritual 21
3. Evolução e corpo espiritual 27
4. Automatismo e corpo espiritual 33
5. Células e corpo espiritual 38
6. Evolução e sexo 44
7. Evolução e hereditariedade 50
8. Evolução e metabolismo 56
9. Evolução e cérebro 62
10. Palavra e responsabilidade 69
11. Existência da alma 75
12. Alma e desencarnação 83
13. Alma e fluidos 91
14. Simbiose espiritual 99
15. Vampirismo espiritual 107
16. Mecanismos da mente 117
17. Mediunidade e corpo espiritual 125
18. Sexo e corpo espiritual 134

19 Alma e reencarnação 143
20 Corpo espiritual e religiões 151

SEGUNDA PARTE

1   Alimentação dos desencarnados 160
2   Linguagem dos desencarnados 164
3   Corpo espiritual e volitação 166
4   Linhas morfológicas dos desencarnados 170
5   Apresentação dos desencarnados 173
6   Justiça na espiritualidade 175
7   Vida social dos desencarnados 177
8   Matrimônio e divórcio 180
9   Separação entre cônjuges espirituais 183
10 Disciplina afetiva 184
11 Conduta afetiva 186
12 Diferenciação dos sexos 188
13 Gestação frustrada 190
14 Aborto criminoso 192
15 Passe magnético 198
16 Determinação de sexo 202
17 Desencarnação 203
18 Evolução e destino 207
19 Predisposições mórbidas 210
20 Invasão microbiana 214
Índice geral 218

Conceitos de Allan Kardec[1]

"A marcha dos Espíritos é progressiva, jamais retrograda."

O livro dos espíritos — Questão 194. FEB, 25ª edição.

"[...] no conhecimento do perispírito está a chave de inúmeros problemas até hoje insolúveis."

O livro dos médiuns — Cap. 1, it. 54. FEB, 23ª edição.

"O Espiritismo mostra que a vida terrestre não passa de um elo no harmonioso e magnífico conjunto da obra do Criador."

O evangelho segundo o espiritismo — Cap. 2, it. 7. FEB, 46ª edição.

"No intervalo das existências humanas, o Espírito torna a entrar no Mundo Espiritual, onde é feliz ou desventurado segundo o bem ou o mal que fez."

O céu e o inferno — Cap. 3, it. 10. FEB, 17ª edição.

---

[1] Indicados pelo autor espiritual.

"O Espiritismo e a Ciência se completam reciprocamente; a Ciência sem o Espiritismo se acha na impossibilidade de explicar certos fenômenos só pelas leis da matéria; ao Espiritismo sem a Ciência faltariam apoio e comprovação."

A gênese —
Cap. 1, it. 16. FEB, 12ª edição.

Anotação

Escrevendo acerca do corpo espiritual, que Allan Kardec denominou perispírito, não se propõe André Luiz traçar esse ou aquele estudo mais profundo, fazendo a discriminação dos princípios que o estruturam, com o fim de equacionar debatidos problemas da Filosofia e da Religião.

Desde tempos remotos, a Humanidade reconheceu-lhe a existência como organismo sutil ou mediador plástico, entre o espírito e o corpo carnal.

No Egito, era o *Ka* para os sacerdotes; na Grécia, era o *eidolon*, na evocação das sibilas.

Ontem, Paracelso designava-o como o *corpo sidéreo* e, não faz muito tempo, foi nomeado como *somod* nas investigações de Baraduc.

André Luiz, porém, busca apenas acordar em nós a noção da imortalidade, principalmente destacando-a, aos companheiros encarnados, qual forma viva da própria criatura humana, presidindo, com a orientação da mente, o dinamismo do casulo celular em que o Espírito — viajor da Eternidade — se demora por algum tempo na face da Terra, em trabalho evolutivo, quando não seja no duro labor da própria regeneração. E assim procedeu, acima de tudo, para salientar que, atingindo a maioridade moral pelo raciocínio, cabe a nós mesmos aprimorar-lhe as manifestações e enriquecer-lhe os atributos, porque todos os nossos sentimentos e pensamentos, palavras e obras nele se refletem, gerando consequências felizes ou infelizes, pelas quais entramos na intimidade da luz ou da sombra, da alegria ou do sofrimento.

Apreciando-lhe a evolução, nosso amigo simplesmente esclarece que o homem não está sentenciado ao pó da Terra e que da imobilidade do sepulcro se reerguerá para o movimento triunfante, transportando consigo o Céu ou o Inferno que plasmou em si mesmo.

Em suma, espera tão somente encarecer que o Espírito responsável, renascendo no arcabouço das células físicas, é mergulhado na carne, qual a imagem na câmara escura, em fotografia, recolhendo, por seus atos, nessa posição negativa, todos os característicos que lhe expressarão a figura exata, no banho de reações químicas efetuado pela morte, de que extrai a soma de experiências para a sua apresentação positiva na realidade maior.

O apóstolo Paulo, no versículo 44 do capítulo 15 de sua primeira epístola aos coríntios, asseverou convincente: "Semeia-se corpo animal, ressuscitará corpo espiritual. Se há corpo animal, há também corpo espiritual".

Nessa preciosa síntese, encontramos no verbo "semear" a ideia da evolução filogenética do ser e, dentro dela, o corpo físico e o corpo espiritual como veículos da mente em sua peregrinação ascensional para Deus.

É para semelhante verdade que André Luiz nos convida a atenção, a fim de que por nossa conduta reta de hoje possamos encontrar a felicidade pura e sublime ao sol de amanhã.

EMMANUEL
Pedro Leopoldo (MG), 21 de julho de 1958.

Nota ao leitor

Ajustadas a supremo conforto, no oceano das facilidades materiais, não se forram as criaturas humanas contra os pesares da solidão e da angústia.

Nesse navio prodigioso a que chamamos civilização, estruturado em largueza de conhecimento e primor de técnica, instalam-se os homens, demandando o porto que já alcançamos pelo impulso da morte.

Contudo, isso não impede regressemos ao bojo da nave imponente para alertar o ânimo dos viajores nossos irmãos, com passaporte imprescritível para o mesmo país da Verdade que os espera amanhã, quanto ontem nos aguardava.

E voltamos porque a suntuosidade da embarcação não está livre do nevoeiro da ignorância a lhe facilitar a incursão entre os rochedos do crime, nem segura contra a violência das tempestades que lhe convulsionam a organização e ameaçam a estrutura.

Realmente, dentro dela, atingimos luminosa culminância no setor da cultura, em tudo o que tange à proteção da vida física.

Sabemos equilibrar a circulação do sangue para garantir a segurança do ciclo cardíaco, mas ignoramos como libertar o coração do cárcere de sombras em que jaz, muitas vezes, mergulhado na poça das lágrimas, quando não seja algemado aos monstros da delinquência.

Identificamos a neurite óptica com eliminação progressiva dos campos visuais e medicamo-la com a vantagem possível na preservação dos olhos; entretanto, desconhecemos como arrancar a visão às trevas do espírito.

Ofertamos braços e pernas artificiais aos mutilados; contudo, somos francamente incapazes de remediar as lesões do sentimento.

Interferimos com vasta margem de êxito nos processos patológicos das células nervosas, auscultando as deficiências de vitaminas e enzimas, que ocasionam a diminuição da taxa metabólica do cérebro; todavia, estamos inabilitados a qualquer anulação das síndromes espirituais de aflição e desespero que agravam a psicastenia e a loucura.

Achamo-nos convictos de que a hidrocefalia congênita provém da acumulação indébita do líquido cefalorraquidiano, impondo dilatação no espaço por ele mesmo ocupado na província intracraniana; no entanto, não percebemos a causa fundamental que a provoca.

Ainda assim, não voltamos para confabular com aqueles que se sintam acomodados ao desequilíbrio.

Retornamos à convivência dos que contemplam o horizonte entre a inquietação e a fadiga perguntando, em pranto, sobre o fim da viagem.

De espírito voltado para eles, os torturados do coração e da inteligência, aspiramos a escrever um livro simples sobre a evolução da alma nos dois planos, interligados no berço e no túmulo, nos quais se nos entretece a senda para Deus... Notas em que o despretensioso médico desencarnado que somos — tomando para alicerce de suas observações o material básico já conquistado pela própria ciência terrestre, material por vezes colhido em obras de respeitáveis estudiosos — pudesse algo dizer do corpo espiritual, em cujas células sutis a nossa própria vontade situa as causas de nosso destino sobre a Terra.

Páginas em que conseguíssemos aliar o conceito rígido da Ciência, compreensivelmente armada contra todas as afirmações que não possa esposar pela experimentação fria, e a mensagem consoladora do Evangelho de Jesus Cristo, de que o Espiritismo contemporâneo se faz o mais alto representante na atualidade do mundo... Um pequeno conjunto de definições sintéticas sobre nossa própria alma imortal, em face do Universo...

Todavia, para tal empreendimento, carecíamos de instrumentação mais ampla, motivo pelo qual nos utilizamos de dois médiuns diferentes,[2] em lugares distintos, dois corações amigos que se prontificaram a receber-nos os textos humildes, dos quais se compõe a nossa apagada oferta.

Foi assim, meu amigo, que este livro nasceu por missiva de irmão aos irmãos que lutam e choram.

Se não sentes o frio da noite sobre o revolto mar das provações humanas, entorpecido na ilusão que te faz escarnecer da própria verdade, nossa lembrança em tuas mãos traz errado endereço.

Mas se guardas contigo o estigma do sofrimento, indagando pela solução dos velhos problemas do ser e da dor, se percebes a nuvem que prenuncia a tormenta e o vórtice traiçoeiro das ondas em que navegas, vem conosco!... Estudemos a rota

---

[2] Nota dos médiuns: A convite do Espírito André Luiz, os médiuns Francisco Cândido Xavier e Waldo Vieira receberam os textos deste livro em noites de domingos e quartas-feiras, respectivamente nas cidades de Pedro Leopoldo e Uberaba, estado de Minas Gerais. As páginas psicografadas por um e outro podem ser identificadas pela data característica de cada texto.

de nossa multimilenária romagem no tempo para sentirmos o calor da flama de nosso próprio espírito a palpitar imorredouro na Eternidade e, acendendo o lume da esperança, perceberemos, juntos, em exaltação de alegria, que Deus, o Pai de infinita bondade, nos traçou a divina destinação para além das estrelas.

ANDRÉ LUIZ
Uberaba (MG), 23 de julho de 1958.

Primeira parte

1
Fluido Cósmico

1.1.1 **Plasma Divino** – O Fluido Cósmico é o Plasma Divino, hausto do Criador ou força nervosa do Todo-Sábio.

Nesse elemento primordial, vibram e vivem constelações e sóis, mundos e seres, como peixes no oceano.

Cocriação em plano maior – Nessa substância original, ao influxo do próprio Senhor supremo, operam as Inteligências Divinas a Ele agregadas, em processo de comunhão indescritível, os grandes devas da teologia hindu ou os arcanjos da interpretação de variados templos religiosos, extraindo desse hálito espiritual os celeiros da energia com que constroem os sistemas da imensidade, em serviço de cocriação em plano maior, de conformidade com os desígnios do Todo-Misericordioso, que faz deles agentes orientadores da Criação Excelsa.

Essas Inteligências gloriosas tomam o Plasma Divino e convertem-no em habitações cósmicas, de múltiplas expressões, radiantes ou obscuras, gaseificadas ou sólidas, obedecendo a leis predeterminadas, quais moradias que perduram por milênios e milênios, mas que se desgastam e se transformam por fim, uma vez que o Espírito criado pode formar ou cocriar, mas só Deus é o Criador de toda a eternidade.

Impérios estelares – Devido à atuação desses arquitetos maiores, surgem nas galáxias as organizações estelares como vastos continentes do Universo em evolução e as nebulosas intragaláticas como imensos domínios do Universo, encerrando a evolução em estado potencial, todas gravitando ao redor de pontos atrativos, com admirável uniformidade coordenadora. 1.1.2

É aí, no seio dessas formações assombrosas, que se estruturam, inter-relacionados, a matéria, o espaço e o tempo, a se renovarem constantes, oferecendo campos gigantescos ao progresso do Espírito.

Cada galáxia quanto cada constelação guardam no cerne a força centrífuga própria, controlando a força gravítica, com determinado teor energético, apropriado a certos fins.

A Engenharia Celeste equilibra rotação e massa, harmonizando energia e movimento, e mantêm-se, desse modo, na vastidão sideral, magnificentes florestas de estrelas, cada qual transportando consigo os planetas constituídos e em formação, que se lhes vinculam magneticamente ao fulcro central, como os elétrons se conjugam ao núcleo atômico, em trajetos perfeitamente ordenados na órbita que se lhes assinala de início.

Nossa galáxia – Para idearmos, de algum modo, a grandeza inconcebível da Criação, comparemos a nossa galáxia a grande cidade perdida entre incontáveis grandes cidades de um país cuja extensão não conseguimos prever.

Tomando o Sol e os mundos nossos vizinhos como apartamentos de nosso edifício, reconheceremos que em derredor repontam outros edifícios em todas as direções.

Assestando instrumentos de longo alcance da nossa sala de estudo, perceberemos que nossa casa não é a mais humilde, mas que inúmeras outras lhe superam as expressões de magnitude e beleza.

1.1.3   Aprendemos que, além de nossa edificação, salientam-se palácios e arranha-céus como Betelgeuse, no distrito de Órion, Canôpus, na região do Navio, Arcturo, no conjunto do Boieiro, Antares, no centro do Escorpião, e outras muitas residências senhoriais, imponentes e belas, exibindo uma glória perante a qual todos os nossos valores se apagariam.

Por processos ópticos, verificamos que a nossa cidade apresenta uma forma espiralada e que a onda de rádio, avançando com a velocidade da luz, gasta mil séculos terrenos para percorrer-lhe o diâmetro. Nela surpreenderemos milhões de lares, nas mais diversas dimensões e feitios, instituídos de há muito, recém-organizados, envelhecidos ou em vias de instalação, nos quais a vida e a experiência enxameiam vitoriosas.

Forças atômicas – Toda essa riqueza de plasmagem, nas linhas da Criação, ergue-se à base de corpúsculos sob irradiações da mente, corpúsculos e irradiações que, no estado atual dos nossos conhecimentos, embora estejamos fora do plano físico, não podemos definir em sua multiplicidade e configuração, porquanto a morte apenas dilata as nossas concepções e nos aclara a introspecção, iluminando-nos o senso moral, sem resolver, de maneira absoluta, os problemas que o Universo nos propõe a cada passo, com os seus espetáculos de grandeza.

Sob a orientação das Inteligências superiores, congregam-se os átomos em colmeias imensas, e, sob a pressão, espiritualmente dirigida, de ondas eletromagnéticas, são controladamente reduzidas as áreas espaciais intra-atômicas, sem perda de movimento, para que se transformem na massa nuclear adensada de que se esculpem os planetas, em cujo seio as mônadas celestes encontrarão adequado berço ao desenvolvimento.

Semelhantes mundos servem à finalidade a que se destinam, por longas eras consagrados à evolução do Espírito, até que, pela sobrepressão sistemática, sofram o colapso atômico pelo qual se transmutam em astros cadaverizados. Essas esferas mortas, contudo, volvem a novas diretrizes dos agentes divinos, que dispõem sobre a desintegração dos materiais de superfície, dando ensejo a que os elementos comprimidos se libertem por meio de explosão ordenada, surgindo novo acervo corpuscular para a reconstrução das moradias celestes, nas quais a obra de Deus se estende e perpetua, em sua glória criativa.

Luz e calor – Os mundos ou campos de desenvolvimento da alma, com as suas diversas faixas de matéria em variada expressão vibratória, ao influxo ainda dos tutores espirituais, são acalentados por irradiações luminosas e caloríficas, sem nos referirmos às forças de outra espécie que são arrojadas do espaço cósmico sobre a Terra e o homem, garantindo-lhes a estabilidade e a existência. 1.1.4

Temos, assim, a luz e o calor, que teoricamente classificamos entre as irradiações nascidas dos átomos supridos de energia. São estes que, excitados na íntima estrutura, despedem as ondas eletromagnéticas.

Todavia, não obstante tatearmos com relativa segurança as realidades da matéria, definindo a Natureza corpuscular do calor e da luz, e embora saibamos que outras oscilações eletromagnéticas se associam, insuspeitadas por nós, na vastidão universal, aquém do infravermelho e além do ultravioleta, completamente fora da zona de nossas percepções, confessamos com humildade que não sabemos ainda, principalmente no que se refere à elaboração da luz, qual seja a força que provoca a agitação inteligente dos átomos, compelindo-os a produzir irradiações capazes de lançar ondas no Universo com a velocidade de 300.000 quilômetros por segundo, preferindo reconhecer, em toda a parte, com a obrigação de estudarmos e progredirmos sempre, o hálito divino do Criador.

Cocriação em plano menor – Em análogo alicerce, as Inteligências humanas que ombreiam conosco utilizam o mesmo

Fluido Cósmico, em permanente circulação no Universo, para a cocriação em plano menor, assimilando os corpúsculos da matéria com a energia espiritual que lhes é própria, formando assim o veículo fisiopsicossomático em que se exprimem ou cunhando as civilizações que abrangem no mundo a Humanidade encarnada e a Humanidade desencarnada. Dentro das mesmas bases, plasmam também os lugares entenebrecidos pela purgação infernal, gerados pelas mentes desequilibradas ou criminosas nos círculos inferiores e abismais, e que valem por aglutinações de duração breve, no microcosmo em que estagiam, sob o mesmo princípio de comando mental com que as Inteligências maiores modelam as edificações macrocósmicas, que desafiam a passagem dos milênios.

1.1.5   Cabe-nos assinalar, desse modo, que, na essência, toda matéria é energia tornada visível e que toda energia, originariamente, é força divina de que nos apropriamos para interpor os nossos propósitos aos propósitos da Criação, cujas leis nos conservam e prestigiam o bem praticado, constrangendo-nos a transformar o mal de nossa autoria no bem que devemos realizar, porque o Bem de Todos é o seu Eterno Princípio.

Compete-nos, pois, anotar que o Fluido Cósmico ou Plasma Divino é a força em que todos vivemos, nos ângulos variados da Natureza, motivo pelo qual já se afirmou, e com toda a razão, que "em Deus nos movemos e existimos".[3]

Uberaba, 15-1-1958.

---

[3] Nota do autor espiritual: Paulo de Tarso, em Atos, 17:28.

2
Corpo espiritual

Retrato do corpo mental – Para definirmos, de alguma sorte, o corpo espiritual, é preciso considerar, antes de tudo, que ele não é reflexo do corpo físico, porque, na realidade, é o corpo físico que o reflete, tanto quanto ele próprio, o corpo espiritual, retrata em si o corpo mental[4] que lhe preside a formação. 1.2.1

Do ponto de vista da constituição e função em que se caracteriza na esfera imediata ao trabalho do homem, após a morte, é o corpo espiritual o veículo físico por excelência, com sua estrutura eletromagnética, algo modificado no que tange aos fenômenos genésicos e nutritivos, de acordo, porém, com as aquisições da mente que o maneja.

Todas as alterações que apresenta, depois do estágio berço–túmulo, verificam-se na base da conduta espiritual da criatura

---

[4] Nota do autor espiritual: o corpo mental, assinalado experimentalmente por diversos estudiosos, é o envoltório sutil da mente, e que, por agora, não podemos definir com mais amplitude de conceituação, além daquela com que tem sido apresentado pelos pesquisadores encarnados, e isto por falta de terminologia adequada no dicionário terrestre.

que se despede do arcabouço terrestre para continuar a jornada evolutiva nos domínios da experiência.

1.2.2 Claro está, portanto, que é ele santuário vivo em que a consciência imortal prossegue em manifestação incessante, além do sepulcro, formação sutil, urdida em recursos dinâmicos, extremamente porosa e plástica, em cuja tessitura as células, noutra faixa vibratória, em face do sistema de permuta visceralmente renovado, se distribuem mais ou menos à feição das partículas coloides, com a respectiva carga elétrica, comportando-se no espaço segundo a sua condição específica e apresentando estados morfológicos conforme o campo mental a que se ajusta.

Centros vitais – Estudado no plano em que nos encontramos, na posição de criaturas desencarnadas, o corpo espiritual ou psicossoma é, assim, o veículo físico, relativamente definido pela ciência humana, com os centros vitais que essa mesma ciência, por enquanto, não pode perquirir e reconhecer.

Nele possuímos todo o equipamento de recursos automáticos que governam os bilhões de entidades microscópicas a serviço da Inteligência, nos círculos de ação em que nos demoramos, recursos esses adquiridos vagarosamente pelo ser, em milênios e milênios de esforço e recapitulação nos múltiplos setores da evolução anímica.

É assim que, regendo a atividade funcional dos órgãos relacionados pela fisiologia terrena, nele identificamos o centro coronário, instalado na região central do cérebro, sede da mente, centro que assimila os estímulos do Plano Superior e orienta a forma, o movimento, a estabilidade, o metabolismo orgânico e a vida consciencial da alma encarnada ou desencarnada, nas cintas de aprendizado que lhe corresponde no abrigo planetário. O centro coronário supervisiona, ainda, os outros centros vitais que lhe obedecem ao impulso, procedente do Espírito, assim como as peças secundárias de uma usina respondem ao comando da peça-motor de que se serve o tirocínio do homem para concatená-las e dirigi-las.

Desses centros secundários, entrelaçados no psicossoma e, consequentemente, no corpo físico, por redes plexiformes, destacamos o centro cerebral contíguo ao coronário, com influência decisiva sobre os demais, governando o córtice encefálico na sustentação dos sentidos, marcando a atividade das glândulas endocrínicas e administrando o sistema nervoso em toda a sua organização, coordenação, atividade e mecanismo, desde os neurônios sensitivos até as células efetoras; o centro laríngeo, controlando notadamente a respiração e a fonação; o centro cardíaco, dirigindo a emotividade e a circulação das forças de base; o centro esplênico, determinando todas as atividades em que se exprime o sistema hemático, dentro das variações de meio e volume sanguíneo; o centro gástrico, responsabilizando-se pela digestão e absorção dos alimentos densos ou menos densos que, de qualquer modo, representam concentrados fluídicos penetrando-nos a organização, e o centro genésico, guiando a modelagem de novas formas entre os homens ou o estabelecimento de estímulos criadores, com vistas ao trabalho, à associação e à realização entre as almas.

1.2.3

Centro coronário – Temos particularmente no centro coronário o ponto de interação entre as forças determinantes do espírito e as forças fisiopsicossomáticas organizadas.

Dele parte, desse modo, a corrente de energia vitalizante formada de estímulos espirituais com ação difusível sobre a matéria mental que o envolve, transmitindo aos demais centros da alma os reflexos vivos de nossos sentimentos, ideias e ações, tanto quanto esses mesmos centros, interdependentes entre si, imprimem semelhantes reflexos nos órgãos e demais implementos de nossa constituição particular, plasmando em nós próprios os efeitos agradáveis ou desagradáveis de nossa influência e conduta.

1.2.4   A mente elabora as criações que lhe fluem da vontade, apropriando-se dos elementos que a circundam, e o centro coronário incumbe-se automaticamente de fixar a Natureza da responsabilidade que lhes diga respeito, marcando no próprio ser as consequências felizes ou infelizes de sua movimentação consciencial no campo do destino.

Estrutura mental das células – É importante considerar, todavia, que nós, os desencarnados, na esfera que nos é própria, estudamos, presentemente, a estrutura mental das células, de modo a iniciarmo-nos em aprendizado superior, com mais amplitude de conhecimento, acerca dos fluidos que nos integram o clima de manifestação, todos eles de origem mental e todos entretecidos na essência da matéria primária, ou Hausto Corpuscular de Deus, de que se compõe a base do Universo Infinito.

Centros vitais e células – São os centros vitais fulcros energéticos que, sob a direção automática da alma, imprimem às células a especialização extrema, pela qual o homem possui no corpo denso, e detemos todos no corpo espiritual em recursos equivalentes, as células que produzem fosfato e carbonato de cálcio para a construção dos ossos, as que se distendem para a recobertura do intestino, as que desempenham complexas funções químicas no fígado, as que se transformam em filtros do sangue na intimidade dos rins e outras tantas que se ocupam do fabrico de substâncias indispensáveis à conservação e defesa da vida nas glândulas, nos tecidos e nos órgãos que nos constituem o cosmo vivo de manifestação.

Essas células que obedecem às ordens do espírito, diferenciando-se e adaptando-se às condições por ele criadas, procedem do elemento primitivo, comum, de que todos provimos em laboriosa marcha no decurso dos milênios, desde o seio tépido do oceano, quando as formações protoplásmicas nos lastrearam as manifestações primeiras.

Tanto quanto a célula individual, a personalizar-se na ameba, ser unicelular que reclama ambiente próprio e nutrição adequada para crescer e reproduzir-se, garantindo a sobrevivência da espécie no oceano em que respira, os bilhões de células que nos servem ao veículo de expressão, agora domesticadas, na sua quase totalidade em funções exclusivas, necessitam de substâncias especiais – água, oxigênio e canais de exoneração excretória – para se multiplicarem no trabalho específico que nosso espírito lhes traça, encontrando, porém, esse clima, que lhes é indispensável, na estrutura aquosa de nossa constituição fisiopsicossomática, a expressar-se nos líquidos extracelulares, formados pelo líquido intersticial e pelo plasma sanguíneo.

1.2.5

Exteriorização dos centros vitais – Observando o corpo espiritual ou psicossoma, desse modo, em nossa rápida síntese, como veículo eletromagnético, qual o próprio corpo físico vulgar, reconheceremos facilmente que, como acontece na exteriorização da sensibilidade dos encarnados, operada pelos magnetizadores comuns, os centros vitais a que nos referimos são também exteriorizáveis, quando a criatura se encontre no campo da encarnação, fenômeno esse a que atendem habitualmente os médicos e enfermeiros desencarnados, durante o sono vulgar, no auxílio a doentes físicos de todas as latitudes da Terra, plasmando renovações e transformações no comportamento celular, mediante intervenções no corpo espiritual, segundo a Lei do Merecimento, recursos esses que se popularizarão na medicina terrestre do grande futuro.

Corpo espiritual depois da morte – Em suma, o psicossoma é ainda corpo de duração variável, segundo o equilíbrio emotivo e o avanço cultural daqueles que o governam, além do carro fisiológico, apresentando algumas transformações fundamentais, depois da morte carnal, principalmente no centro gástrico, pela diferenciação dos alimentos de que se provê, e no centro genésico, quando há sublimação do amor, na comunhão das almas que se reúnem no matrimônio divino das próprias forças, gerando novas fórmulas de aperfeiçoamento e progresso para o Reino do Espírito.

1.2.6   Esse corpo que evolve e se aprimora nas experiências de ação e reação, no plano terrestre e nas regiões espirituais que lhe são fronteiriças, é suscetível de sofrer alterações múltiplas, com alicerces na adinamia[5] proveniente da nossa queda mental no remorso, ou na hiperdinamia[6] imposta pelos delírios da imaginação, a se responsabilizarem por disfunções inúmeras da alma, nascidas do estado de hipo e hipertensão no movimento circulatório das forças que lhe mantêm o organismo sutil, e pode também desgastar-se, na esfera imediata à esfera física, para nela se refazer, por meio do renascimento, segundo o molde mental preexistente, ou ainda restringir-se a fim de se reconstituir de novo, no vaso uterino, para a recapitulação dos ensinamentos e experiências de que se mostre necessitado, de acordo com as falhas da consciência perante a Lei.

Outros aspectos do psicossoma examinaremos quando as circunstâncias nos induzam a apreciar-lhe o comportamento nas regiões espirituais vizinhas da Terra, dentro das sociedades afins, em que as almas se reúnem conforme os ideais e as tarefas nobres que abraçam, ou segundo as culpas dilacerantes ou tendências inferiores em que se sintonizam, geralmente preparando novos eventos alusivos às necessidades e problemas que lhes são peculiares nos domínios da reencarnação imprescindível.

Pedro Leopoldo, 19-1-1958.

---

[5] N.E.: Grande fraqueza muscular; falta de força física.
[6] N.E.: Excessiva atividade muscular.

3
Evolução e corpo espiritual

Primórdios da vida – Procurando fixar ideias seguras acerca do corpo espiritual, será preciso remontarmos, de algum modo, aos primórdios da vida na Terra, quando mal cessavam as convulsões telúricas, pelas quais os ministros angélicos da Sabedoria Divina, com a supervisão do Cristo de Deus, lançaram os fundamentos da vida no corpo ciclópico do planeta.

1.3.1

A matéria elementar, de que o elétron é um dos corpúsculos-base,[7] na faixa de experiência evolutiva sob nossa análise, acumulada sobre si mesma, ao sopro criador da Eterna Inteligência, dera nascimento à província terrestre, no estado solar a que pertencemos, cujos fenômenos de formação original não conseguimos por agora abordar em sua mais íntima estrutura.

A imensa fornalha atômica estava habilitada a receber as sementes da vida e, sob o impulso dos gênios construtores, que operavam no orbe nascituro, vemos o seio da Terra recoberto de

---

[7] Nota do autor espiritual: Na esfera espiritual em que estagiamos, o elétron é também partícula atômica dissociável.

mares mornos, invadido por gigantesca massa viscosa a espraiar-se no colo da paisagem primitiva.

1.3.2 Dessa geleia cósmica, verte o princípio inteligente, em suas primeiras manifestações...

Trabalhadas, no transcurso de milênios, pelos operários espirituais que lhes magnetizam os valores, permutando-os entre si, sob a ação do calor interno e do frio exterior, as mônadas celestes exprimem-se no mundo pela rede filamentosa do protoplasma de que se lhes derivaria a existência organizada no globo constituído.

Séculos de atividade silenciosa perpassam, sucessivos...

Nascimento do reino vegetal – Aparecem os vírus e, com eles, surge o campo primacial da existência, formado por nucleoproteínas e globulinas, oferecendo clima adequado aos princípios inteligentes ou mônadas fundamentais, que se destacam da substância viva, por centros microscópicos de força positiva, estimulando a divisão cariocinética.

Evidenciam-se, desde então, as bactérias rudimentares, cujas espécies se perderam nos alicerces profundos da evolução, lavrando os minerais na construção do solo, dividindo-se por *raças* e *grupos* numerosos, plasmando, pela reprodução assexuada, as células primevas, que se responsabilizariam pelas eclosões do reino vegetal em seu início.

Milênios e milênios chegam e passam...

Formação das algas – Sustentado pelos recursos da vida, que na bactéria e na célula se constituem do líquido protoplásmico, o princípio inteligente nutre-se agora na clorofila, que revela um átomo de magnésio em cada molécula, precedendo a constituição do sangue de que se alimentará no reino animal.

O tempo age sem pressa, em vagarosa movimentação no berço da Humanidade, e aparecem as algas nadadoras, quase invisíveis, com as suas caudas flexuosas, circulando no corpo das águas, vestidas em membranas celulósicas, e mantendo-se à custa de resíduos minerais, dotadas de extrema motilidade e sensibilidade, como formas monocelulares em que a mônada já evoluída se ergue a estágio superior.

1.3.3 Todavia, são plantas ainda e que até hoje persistem na Terra, como filtros de evolução primária dos princípios inteligentes em constante expansão, mas plantas superevolvidas nos domínios da sensação e do instinto embrionário, guardando o magnésio da clorofila como atestado da espécie.

Sucedendo-as, por ordem, emergem as algas verdes de feição pluricelular, com novo núcleo a salientar-se, inaugurando a reprodução sexuada e estabelecendo vigorosos embates nos quais a morte comparece, na esfera de luta, provocando metamorfoses contínuas, que perdurarão, no decurso das eras, em dinamismo profundo, mantendo a edificação das formas do porvir.

Dos artrópodos aos dromatérios e anfitérios – Mais tarde, assinalamos o ingresso da mônada, a que nos referimos, nos domínios dos artrópodos, de exosqueleto quitinoso, cujo sangue diferenciado acusa um átomo de cobre em sua estrutura molecular, para, em seguida, surpreendê-la, guindada à condição de crisálida da consciência, no reino dos animais superiores, em cujo sangue — condensação das forças que alimentam o veículo da inteligência no império da alma — detém a hemoglobina por pigmento básico, demonstrando o parentesco inalienável das individuações do espírito, nas mutações da forma que atende ao progresso incessante da Criação Divina.

Das cristalizações atômicas e dos minerais, dos vírus e do protoplasma, das bactérias e das amebas, das algas e dos vegetais do período pré-cambriano aos fetos e às licopodiáceas, aos trilobites e cistídeos aos cefalópodes, foraminíferos e radiolários dos terrenos silurianos, o princípio espiritual atingiu espongiários e celenterados da era paleozoica, esboçando a estrutura esquelética.

1.3.4   Avançando pelos equinodermos e crustáceos, entre os quais ensaiou, durante milênios, o sistema vascular e o sistema nervoso, caminhou na direção dos ganoides e teleósteos, arquegossauros e labirintodontes para culminar nos grandes lacertinos e nas aves estranhas, descendentes dos pterossáurios, no jurássico superior, chegando à época supracretácea para entrar na classe dos primeiros mamíferos, procedentes dos répteis teromorfos.

Viajando sempre, adquire entre os dromatérios e anfitérios os rudimentos das reações psicológicas superiores, incorporando as conquistas do instinto e da inteligência.

Faixas inaugurais da razão – Estagiando nos marsupiais e cetáceos do eoceno médio, nos rinocerotídeos, cervídeos, antilopídeos, equídeos, canídeos, proboscídeos e antropoides inferiores do mioceno e exteriorizando-se nos mamíferos mais nobres do plioceno, incorpora aquisições de importância entre os megatérios e mamutes, precursores da fauna atual da Terra, e, alcançando os pitecantropoides da era quaternária, que antecederam as embrionárias civilizações paleolíticas, a mônada vertida do Plano Espiritual sobre o plano físico[8] atravessou os mais rudes crivos da adaptação e seleção, assimilando os valores múltiplos da organização, da reprodução, da memória, do instinto, da sensibilidade, da percepção e da preservação própria, penetrando, assim, pelas vias da inteligência mais completa e laboriosamente adquirida, nas faixas inaugurais da razão.

Elos desconhecidos da evolução – Compreendendo-se, porém, que o princípio divino aportou na Terra, emanando da esfera espiritual, trazendo em seu mecanismo o arquétipo a que se destina, qual a bolota de carvalho encerrando em si a árvore veneranda que será de futuro, não podemos circunscrever-lhe a

---

[8] Nota do autor espiritual: As expressões "plano físico" e "Plano Extrafísico", largamente usadas nestas páginas, foram utilizadas por nós à falta de termos mais precisos que designem as esferas de evolução para os Espíritos encarnados e desencarnados, pertencentes ao *habitat* planetário.

experiência ao plano físico simplesmente considerado, porquanto, por meio do nascimento e morte da forma, sofre constantes modificações nos dois planos em que se manifesta, razão pela qual variados elos da evolução fogem à pesquisa dos naturalistas, por representarem estágios da consciência fragmentária fora do campo carnal propriamente dito, nas regiões extrafísicas, em que essa mesma consciência incompleta prossegue elaborando o seu veículo sutil, então classificado como protoforma humana, correspondente ao grau evolutivo em que se encontra.

Evolução no tempo – É assim que dos organismos monocelulares aos organismos complexos, em que a inteligência disciplina as células, colocando-as a seu serviço, o ser viaja no rumo da elevada destinação que lhe foi traçada do Plano Superior, tecendo com os fios da experiência a túnica da própria exteriorização, segundo o molde mental que traz consigo, dentro das leis de ação, reação e renovação em que mecaniza as próprias aquisições, desde o estímulo nervoso à defensiva imunológica, construindo o centro coronário, no próprio cérebro, por meio da reflexão automática de sensações e impressões, em milhões e milhões de anos, pelo qual, com o auxílio das potências sublimes que lhe orientam a marcha, configura os demais centros energéticos do mundo íntimo, fixando-os na tessitura da própria alma. 1.3.5

Contudo, para alcançar a idade da razão, com o título de homem, dotado de raciocínio e discernimento, o ser, automatizado em seus impulsos, na romagem para o reino angélico, despendeu para chegar aos primórdios da época quaternária, em que a civilização elementar do sílex denuncia algum primor de técnica, nada menos de um bilhão e meio de anos. Isso é perfeitamente verificável na desintegração natural de certos elementos radioativos na massa geológica do globo. E entendendo-se que a civilização aludida floresceu há mais ou menos duzentos mil anos, preparando o homem, com a bênção do Cristo, para a responsabilidade, somos induzidos a reconhecer o caráter recente dos conhecimentos psicológicos, destinados a automatizar na constituição fisiopsicossomática do espírito humano as aquisições morais que lhe habilitarão a consciência terrestre a mais amplo degrau de ascensão à consciência cósmica.[9]

Uberaba, 22-1-1958.

---

[9] Nota do autor espiritual: As presentes estimativas e apontamentos do Plano Espiritual, apesar das compreensíveis divergências humanas, coincidem exatamente com observações e ilações de vários estudiosos encarnados.

4
Automatismo e corpo espiritual

Automatismo fisiológico – Compreensível salientar que o 1.4.1 princípio inteligente, no decurso dos evos, plasmou em seu próprio veículo de exteriorização as conquistas que lhe alicerçariam o crescimento para maiores afirmações nos horizontes evolutivos.

Dominando as células vivas, de Natureza física e espiritual, como que empalmando-as a seu próprio serviço, de modo a senhorear possibilidades mais amplas de expansão e progresso, sofre no plano terrestre e no plano extraterrestre as profundas experiências que lhe facultarão, no bojo do tempo, o automatismo fisiológico, pelo qual, sem qualquer obstáculo, executa todos os atos primários de manutenção, preservação e renovação da própria vida.

Atividades reflexas do inconsciente – Sabemos que, propondo-nos aprender a ler e escrever, antes de tudo nos consagramos à empresa difícil de assimilação do alfabeto e da escrita, consumindo energia cerebral e coordenando o movimento dos olhos, dos lábios e das mãos, em múltiplas fases de atenção e trabalho, de maneira a superar nossas próprias inibições, para, depois, conseguirmos ler e escrever mecanicamente, sem qualquer esforço, a não ser aquele que se refere à absorção, comunicação ou materialização do pensamento lido ou escrito, porquanto a leitura e a grafia ter-se-ão tornado automáticas na esfera de nossa atividade mental.

1.4.2   Nessa base de incessante repetição dos atos indispensáveis ao seu próprio desenvolvimento, vestindo-se de matéria densa no plano físico e desnudando-se dela no fenômeno da morte, para revestir-se de matéria sutil no Plano Extrafísico e renascer de novo na crosta da Terra em inumeráveis estações de aprendizado, é que o princípio espiritual incorporou todos os cabedais da inteligência que lhe brilhariam no cérebro do futuro, pelas chamadas atividades reflexas do inconsciente.

Teoria de Descartes[10] – Atento a isso e espantado diante do gigantesco patrimônio da mente humana é que Descartes, no século XVII, indagando de si mesmo sobre a complexidade dos nervos, formulou a "teoria dos espíritos animais" que estariam encerrados no cérebro, perpassando nas redes nervosas para atender aos movimentos da respiração, dos humores e da defesa orgânica, sem participação consciente da vontade, chegando o filósofo a asseverar que esses "espíritos se conjugavam necessariamente refletidos", aplicando semelhante regra notadamente aos animais que ele classificava por máquinas desprovidas de pensamento.

Descartes não logrou apreender toda a amplitude dos caminhos que se descerram à evolução na esteira dos séculos, mas abordou a verdade do ato reflexo que obedece ao influxo nervoso, no automatismo em que a alma evolui para mais altos planos

---

[10] N.E.: René Descartes (1596–1650), filósofo, físico e matemático francês.

de consciência, por meio do nascimento, morte, experiência e renascimento na vida física e extrafísica, em avanço inevitável para a vida superior.

Automatismo e herança – Assim como na coletividade humana o indivíduo trabalha para a comunidade a que pertence, entregando-lhe o produto das próprias aquisições, e a sociedade opera em favor do indivíduo que a compõe, protegendo-lhe a existência, no impositivo do aperfeiçoamento constante, nos reinos menores o ser inferior serve à espécie a que se ajusta, confiando-lhe, maquinalmente, o fruto das próprias conquistas, e a espécie labora em benefício dele, amparando-o com todos os valores por ela assimilados, a fim de que a ascensão da vida não sofra qualquer solução de continuidade. 1.4.3

Se, no círculo humano, a inteligência é seguida pela razão e a razão pela responsabilidade, nas linhas da civilização, sob os signos da cultura, observamos que, na retaguarda do transformismo, o reflexo precede o instinto, tanto quanto o instinto precede a atividade refletida, que é base da inteligência nos depósitos do conhecimento adquirido por recapitulação e transmissão incessantes, nos milhares de milênios em que o princípio espiritual atravessa lentamente os círculos elementares da Natureza, qual vaso vivo, de forma em forma, até configurar-se no indivíduo humano, em trânsito para a maturação sublimada no campo angélico.

Desse modo, em qualquer estudo acerca do corpo espiritual, não podemos esquecer a função preponderante do automatismo e da herança na formação da individualidade responsável, para compreendermos a inexequibilidade de qualquer separação entre a Fisiologia e a Psicologia, porquanto ao longo da atração no mineral, da sensação no vegetal e do instinto no animal, vemos a crisálida de consciência construindo as suas faculdades de organização, sensibilidade e inteligência, transformando, gradativamente, toda a atividade nervosa em vida psíquica.

1.4.4 **Evolução e princípios cosmocinéticos** – Os dias da Criação, assinalados nos livros de Moisés, equivalem a épocas imensas no tempo e no espaço, porque o corpo espiritual que modela o corpo físico e o corpo físico que representa o corpo espiritual constituem a obra de séculos numerosos, pacientemente elaborada em duas esferas diferentes da vida, a se retomarem no berço e no túmulo com a orientação dos instrutores divinos que supervisionam a evolução terrestre.

Com semelhante enunciado não diligenciamos, de modo algum, explicar a gênese do espírito, porque isso, por enquanto, implicaria arrogante e pretensiosa definição do próprio Deus.

Propomo-nos simplesmente salientar que a Lei da Evolução prevalece para todos os seres do Universo, tanto quanto os princípios cosmocinéticos, que determinam o equilíbrio dos astros, são, na origem, os mesmos que regulam a vida orgânica, na estrutura e movimento dos átomos.

O veículo do espírito, além do sepulcro, no Plano Extrafísico ou quando reconstituído no berço, é a soma de experiências infinitamente repetidas, avançando vagarosamente da obscuridade para a luz. Nele, situamos a individualidade espiritual, que se vale das *vidas menores* para afirmar-se — das *vidas menores* que lhe prestam serviço, dela recolhendo preciosa cooperação para crescerem a seu turno, conforme os inelutáveis objetivos do progresso.

Gênese dos órgãos psicossomáticos – Todos os órgãos do corpo espiritual e, consequentemente, do corpo físico foram, portanto, construídos com lentidão, atendendo-se à necessidade do campo mental em seu condicionamento e exteriorização no meio terrestre.

É assim que o tato nasceu no princípio inteligente, na sua passagem pelas células nucleares em seus impulsos ameboides; que a visão principiou pela sensibilidade do plasma nos flagelados monocelulares expostos ao clarão solar; que o olfato começou nos animais aquáticos de expressão mais simples, por excitações do ambiente em que evolviam; que o gosto surgiu nas plantas, muitas delas armadas de pelos viscosos destilando sucos digestivos, e que as primeiras sensações do sexo apareceram com algas marinhas providas não só de células masculinas e femininas que nadam, atraídas uma para as outras, mas também de um esboço de epiderme sensível, que podemos definir como região secundária de simpatias genésicas.

Trabalho da inteligência – Examinando, pois, o fenômeno da reflexão sistemática, gerando o automatismo que assinala a inteligência de todas as ações espontâneas do corpo espiritual, reconhecemos sem dificuldade que a marcha do princípio inteligente para o reino humano e que a viagem da consciência humana para o reino angélico simbolizam a expansão multimilenar da criatura de Deus que, por força da Lei Divina, deve merecer, com o trabalho de si mesma, a auréola da imortalidade em pleno Céu. 1.4.5

Pedro Leopoldo, 26-1-1958.

5
Células e corpo espiritual

1.5.1   **Princípios inteligentes rudimentares** – Com o transcurso dos evos, surpreendemos as células como princípios inteligentes de feição rudimentar, a serviço do princípio inteligente em estágio mais nobre nos animais superiores e nas criaturas humanas, renovando-se continuamente, no corpo físico e no corpo espiritual, em modulações vibratórias diversas, conforme a situação da inteligência que as senhoreia, depois do berço ou depois do túmulo.

Formas das células – Animálculos infinitesimais, que se revelam domesticados e ordeiros na colmeia orgânica, assumem formas diferentes, segundo a posição dos indivíduos e a Natureza dos tecidos em que se agrupam, obedecendo ao pensamento simples ou complexo que lhes comanda a existência.

São cenositos ou microrganismos que podem viver livremente, como autositos ou como parasitos; sincícios ou massa de células que se fundem para a execução de atividade particular, como, por exemplo, na musculatura cardíaca ou na camada epitelial que compõe a parte externa da placenta, com ação histolítica sobre a estrutura da organização materna; células anastomosadas, como as que se coordenam na formação dos tecidos conjuntivos; células em grupos coloniais, com movimentos perfeitamente coordenados, quais as que se mostram nos volvocídeos; células com matriz intersticial, que elaboram substâncias imprescindíveis à conservação da vida na província corpórea, e as células que podem diversificar-se, constituindo-se elementos livres, como na preparação dos glóbulos da corrente sanguínea.

Articulam-se em múltiplas formas, adaptando-se às funções que lhes competem, no veículo de manifestação da criatura que temporariamente as segrega, à maneira de peças eletromagnéticas inteligentes, em máquina eletromagnética superinteligente, atendendo com precisão matemática aos apelos da mente, assemelhando-se, de certo modo, no organismo, aos milhões de átomos que constituem harmonicamente as cordas de um piano, acionadas pelos martelos minúsculos dos nervos, ao impacto das teclas que podemos simbolizar nos fulcros energéticos do córtice encefálico, movimentado e controlado pelo Espírito, por meio do centro coronário que sustenta a conjunção da vida mental com a forma organizada em que ela própria se expressa.

Motores elétricos microscópicos – Dispostas na construção da forma em processo idêntico ao da superposição dos tijolos numa obra de alvenaria, as células são compelidas à disciplina, perante a ideia orientadora que as associa e governa, quanto os tijolos vulgares são constrangidos à submissão ante as linhas traçadas pelo arquiteto que lhes aproveita o concurso na concretização de projeto específico.

É assim que são funcionárias da reprodução no centro genésico, trabalhadoras da digestão e absorção no centro gástrico, operárias da respiração e fonação no centro laríngeo, da circulação no centro cardíaco, servidoras e guardiãs fixas ou migratórias do tráfego e distribuição, reserva e defesa no centro esplênico, auxiliares da inteligência e elementos de ligação no centro cerebral, e administradoras e artistas no centro coronário, amolgando-se às ordens mentais recebidas e traduzindo na região de trabalho que lhes é própria a individualidade que as refreia e influencia, com justas limitações no tempo e no espaço.

1.5.3 Temo-las, desse modo — repetimos —, por microscópicos motores elétricos, com vida própria, subordinando-se às determinações do ser que as aglutina e que lhes imprime a fixação ou a mobilidade indispensáveis às funções que devam exercer no *mar interior* do mundo orgânico, formado pelos líquidos extracelulares, a se definirem no líquido lacunar que as irriga e que circula vagarosamente; na linfa que verte dos tecidos, endereçada ao sangue; e no plasma sanguíneo que se movimenta, rápido, além de outros líquidos intersticiais, característicos do meio interno.

O todo indivisível do organismo – Lógico entender, dessa forma, que, diante do governo mental, a reunião das células compõe tecidos, assim como a associação dos tecidos esculpe os órgãos, partes constituintes do organismo que passa a funcionar como um todo indivisível em sua integridade, cingido pelo sistema nervoso e controlado pelos hormônios ou substâncias produzidas em determinado órgão e transportadas a outros arraiais da atividade somática, que lhes excitam as propriedades funcionais para certos fins, hormônios esses nascidos de impulsão mecânica da mente sobre o império celular, conforme diferentes estados emotivos da consciência, enfeixando cargas de elementos químicos em nível ideal, quando o equilíbrio íntimo lhe preside as manifestações, e consubstanciando recursos de manutenção e preservação da vida normal, perfeitamente isoláveis pela ciência comum, como já acontece com a adrenalina das suprarrenais, com a insulina do pâncreas, a testosterona dos testículos e outras secreções glandulares do cosmo orgânico.

Automatismo celular – É da doutrina celular corrente no mundo que as células tomam aspectos diferentes conforme a Natureza das organizações a que servem, competindo-nos desenvolver mais amplamente o asserto, para asseverar que a inteligência, influenciando o citoplasma, que é, no fundo, o elemento intersticial de vinculação das forças fisiopsicossomáticas, obriga as células ao trabalho de que necessita para expressar-se, trabalho este que, à custa de repetições quase infinitas, se torna perfeitamente automático para as unidades celulares que se renovam, de maneira incessante, na execução das tarefas que a vida lhes assinala.

1.5.4

Efeitos do automatismo – Perfeitamente compreensíveis, nessa base, os estudos científicos que reconhecem os agrupamentos colaboracionistas das células especializadas, por meio da cultura artificial dos tecidos orgânicos, em que um fragmento qualquer desses mesmos tecidos, seja da epiderme ou do cérebro, permanece vivo, por muito tempo, quando mergulhado em soro que, cuidadosamente imunizado e mantido na temperatura correspondente à do corpo físico, acusa uma vida intensa. Decorridas algumas horas, os produtos de excreta intoxicam o soro, impedindo o desenvolvimento celular, mas, se o líquido for renovado, continuam as células a crescer no mesmo ritmo de movimento e expansão que lhes marca a atividade no edifício corpóreo.

Todavia, fora do governo mental que as dirigia, não se revelam iguais às suas irmãs em função orgânica.

As células nervosas, por exemplo, com as suas fibrilas especiais, não produzem células com fibrilas análogas, e as que atendem nos músculos aos serviços da contração se desdiferenciam, regredindo ao tipo conjuntivo.

1.5.5   Todas as que se ausentam do conjunto estrutural do tecido inclinam-se para a apresentação morfológica da ameba, segundo observações cientificamente provadas.

Isso ocorre porque as células, quando ajustadas ao ambiente orgânico, demonstram o comportamento natural do operário mobilizado em serviço, sob as ordens da Inteligência, comunicando-se umas com as outras sob o influxo espiritual que lhes mantém a coesão, e procedem no soro quais amebas em liberdade para satisfazer aos próprios impulsos.

Fenômenos explicáveis – Dentro do mesmo princípio de submissão das células ao estímulo nervoso, é que a experiência de transplante dos tecidos de embriões entre si, com alguns dias de formação, pode oferecer resultados surpreendentes, uma vez que as células orientadas em determinado sentido, quando enxertadas sobre tecidos outros *in vivo*, conseguem gerar órgãos extras, em regime de monstruosidade, obedecendo a determinações especializadas resultantes das ordens magnéticas de origem que saturavam essas mesmas células.

E é ainda aí, pelo mesmo teor de semelhante saturação, que vamos entender as demonstrações do faquirismo e outras realizadas em sessões experimentais do Espiritismo, nas quais a mente superconcentrada pode arremessar fluidos de impulsão sobre vidas inferiores, como seja a das plantas, imprimindo-lhes desenvolvimento anormal, e explicar os fenômenos da materialização mediúnica. Neste caso, sob condições excepcionais e com o auxílio de inteligências desencarnadas, o organismo do médium deixa escapar o ectoplasma ou o plasma exteriorizado, no qual as células, em tonalidade vibratória diferente, elastecem-se e se renovam, de conformidade com os moldes mentais que lhes são apresentados, produzindo os mais significativos fenômenos em obediência ao comando da Inteligência, por intermédio dos quais a efera espiritual sugere ao plano físico a imortalidade da alma, a caminho da vida superior.

Uberaba, 29-1-1958.

6
Evolução e sexo

1.6.1 **Aparecimento do sexo** – Dobadas longas faixas de tempo, em que bactérias e células são experimentadas em reprodução agâmica, eis que determinado grupo apresenta no imo da própria constituição qualidades magnéticas positivas e negativas que lhe são desfechadas pelos orientadores espirituais encarregados do progresso devido ao planeta.

Pressente-se a evolução animal em vésperas de nascer...

Bactéria diferenciada – De todas as espécies de bactérias já formadas, uma se destaca nos imensos depósitos de água doce sobre o leito pétreo do algonquiano.

É diferenciada de quantas se estiram sobre a crosta terrestre.

Não tem a característica absolutamente ameboide.

Mostra configuração elipsoidal, como se fora microscópico bastonete ou girino, a que não falta leve radícula à feição de cauda.

É o leptótrix, que, em miríades de individuações, permanece por milhares de séculos nas rochas antigas, nutrindo-se simplesmente de ferro.

Quando se desvencilha da minúscula carapaça ferrosa em que se esconde, é instintivamente obrigado a nadar, até que outra carapaça semelhante o envolva. 1.6.2

Os instrutores espirituais valem-se da medida para impulsioná-lo à transformação.

Perdendo os diminutos envoltórios metálicos e constrangidas a edificar abrigos idênticos que lhes atendam à necessidade de proteção, essas bactérias, que exprimem figura importante de junção no trabalho evolutivo da Natureza, são compelidas ao movimento, em que não apenas se atraem umas às outras, nos prelúdios iniciais da reprodução sexuada, mas em que conhecem, por acidente, a morte em massa, da qual ressurgem nos mesmos tratos de vida em que se encontram, sob a criteriosa atenção dos condutores da Terra, para renascerem, após longo tempo de novas experimentações, na forma das algas verdes, inaugurando a comunhão sexual sobre o mundo.

As algas verdes – Os biologistas dos últimos tempos costumam perguntar sem resposta se as algas verdes, proprietárias de estrutura particular, descendem das primitivas cianofíceas, de tessitura mais simples, nas quais a ficocianina, associada à clorofila, é o pigmento azulado de sua composição fundamental. O hiato existente, de que dá conta Hugo De Vries,[11] ao desenvolver o mutacionismo, foi preenchido pelas atividades dos Servidores da organogênese terrestre, que submeteram a família do leptótrix a profundas alterações nos campos do espírito, transmutando-lhe os indivíduos mais completos, que reapareceram metamorfoseados nas algas referidas, a invadirem luxuriantemente as águas, instalando novo ciclo de progresso e renovação...

Concentrações fluídico-magnéticas – Ao toque dos operários divinos, a matéria elementar fora no princípio transubstanciada

---

[11] N.E.: Botânico holandês (1848-1935) que confirmou a teoria clássica sobre as mutações.

em massa astronômica de elétrons e prótons, que teceram o largo berço da vida humana em plena vida cósmica. E ainda sob a inteligência deles, com a supervisão do Cristo de Deus, semelhantes recursos baseiam a formação dos átomos em elementos, combinam-se os elementos em conjuntos químicos, abrem os conjuntos químicos lugar aos coloides, mesclam-se os coloides em misturas substanciais, oferecendo ao princípio inteligente, oriundo da amplidão celeste, o ninho propício ao desenvolvimento.

1.6.3 Eras imensas transcorreram; e esse princípio inteligente, destinado a crescer para a glória da vida, em dois planos distintos de experiência, quando se mostra ativado em constituição mais complexa, recebe desses mesmos arquitetos da Sabedoria Divina os dons da reprodução mais complexa nos cromossomas, ou concentrações fluídico-magnéticas especiais, a se retratarem, através do tempo, pela reflexão constante no campo celular, concentrações essas que, por falta de terminologia adequada no dicionário humano, baratearemos, quanto possível, comparando-as aos moldes fabricados para o serviço de fundição na oficina tipográfica.

Os cromossomas, estruturados em grânulos infinitesimais de Natureza fisiopsicossomática, partilham do corpo físico pelo núcleo da célula em que se mantêm e do corpo espiritual pelo citoplasma em que se implantam.

E como acontece aos moldes tipográficos, que são formados de linhas para que se lhes expresse o sentido, também eles são constituídos pelos elementos chamados genes, o que lhes dá, tanto quanto ocorre ao alfabeto humano, a característica de imortalidade nas células que se renovam transmitindo às sucessoras as suas particulares disposições, nas mesmas circunstâncias em que, num texto tipográfico, as letras e os moldes podem viver, indefinidamente, no material destrutível e renovável, por intermédio do qual se conservam e se exprimem na memória das gerações.

Com o tempo, diferenciam-se os cromossomas nas províncias da evolução, segundo as espécies, como variam as criações do pensamento impresso de acordo com os moldes tipográficos nas esferas da cultura.

Os elementos germinativos são minuciosamente analisados e testados nas plantas, até que sofram transformações essenciais na química das algas verdes, de cuja compleição caminham no rumo de mais amplos desdobramentos.

Filtros de transformismo – O princípio inteligente é experimentado de modos múltiplos no laboratório da Natureza, constituindo-se-lhe, pouco a pouco, a organização físico-espiritual, e traçando-se-lhe entre a Terra e o Céu a destinação finalista.

Com o amparo dos trabalhadores divinos fixa em si mesmo os selos vivos da reprodutividade, que se definem e aperfeiçoam no regaço dos milênios, deixando na retaguarda, como filtros de transformismo, não somente os reinos mineral e vegetal, institutos de recepção e expansão da onda criadora da vida, em seu fluxo incessante, como também certas classes de organismos outros que passariam a coexistir com os elementos em ascensão, qual acontece ainda hoje, quando observamos ao lado da inteligência humana, relativamente aprimorada, plantas e vermes que já existiam no pré-câmbriano inferior.

Os tecidos germinais sofrem, por milhares de anos, provas continuadas para que se lhes possa aferir o valor e se lhes apure o adestramento.

Formas monstruosas aparecem e desaparecem, desde os anelídeos aos animais de grande porte, por séculos e séculos, até que as espécies conseguissem acomodação nos próprios tipos.

Entre as que chegam à luz e as que se fundem nas sombras, traçam-se parentescos profundos.

Os cromossomas permanecem imorredouros, através dos centros genésicos de todos os seres, encarnados e desencarnados, plasmando alicerces preciosos aos estudos filogenéticos do futuro.

1.6.5 **Descendência e seleção** – É justo lembrar, no entanto, que os trabalhos gradativos da descendência e da seleção, que encontrariam em Lamarck[12] e Darwin[13] expositores dos mais valiosos, operavam-se em dois planos.

As crisálidas de consciência dos reinos inferiores, mergulhadas em campo vibratório diferente pelo fenômeno da morte, justapunham-se às células renascentes que continuavam a servi-las, colhendo elementos de transmutação para a volta à esfera física, pela reencarnação compulsória, sob a orientação das Inteligências sublimes que nos sustentam a romagem, circunstância que nos compele a considerar que o transformismo das espécies, como também a constituição de espécies novas, ajustando-se a funções fisiológicas, expansão e herança, baseiam-se no mecanismo e na química do núcleo e do citoplasma, em que as energias fisiopsicossomáticas se reúnem.

Genealogia do Espírito – Os naturalistas situados no chão do mundo, desde os sacerdotes egípcios, que estudavam a origem da vida planetária em conchas fósseis, até os mais eminentes biólogos modernos, atreitos à unilateralidade de observação, compreensivelmente não conseguirão suprir as lacunas existentes no quadro da evolução, não obstante Cuvier,[14] com a anatomia comparada, tenha traçado forma básica à sistemática da Paleontologia.

Em verdade, porém, para não cairmos nas recapitulações incessantes a respeito de apreciações e conclusões que a ciência

---

[12] N.E.: Jean-Baptiste de Monet, dito Lamarck (1744–1829), naturalista francês. Estudou e criou teorias acerca da evolução dos seres vivos.

[13] N.E.: Charles Darwin (1809–1882), naturalista britânico. Também estudou a evolução do seres. Escreveu o famoso livro *A origem das espécies*.

[14] N.E.: Georges Cuvier (1769–1832), naturalista francês. Formulou as leis da anatomia comparada e lançou os fundamentos da paleontologia animal.

do mundo tem repetido à saciedade, acrescentaremos simplesmente que as leis da reprodução animal, orientadas pelos instrutores divinos, desde o casulo ferruginoso do leptótrix, pela retração e expansão da energia nas ocorrências do nascimento e morte da forma, recapitulam ainda hoje, na organização de qualquer veículo humano, na fase embriogênica, a evolução filogenética de todo o reino animal, demonstrando que além da ciência que estuda a gênese das formas, há também uma genealogia do Espírito. Com a supervisão celeste, o princípio inteligente gastou, desde os vírus e as bactérias das primeiras horas do protoplasma na Terra, mais ou menos quinze milhões de séculos a fim de que pudesse, como ser pensante, embora em fase embrionária da razão, lançar as suas primeiras emissões de pensamento contínuo para os espaços cósmicos.

1.6.6

Pedro Leopoldo, 2-2-1958.

7
Evolução e hereditariedade

1.7.1 **Princípio inteligente e hereditariedade** – Reportando-nos à Lei da Hereditariedade, é imperioso, de certo modo, recordar a Geometria para simplificar-lhe os conceitos.

Considerando a Geometria por ciência que estuda as propriedades do espaço limitado, vamos encontrar a hereditariedade como lei que define a vida, circunscrita à forma em que se externa. Só a inteligência consegue traçar linhas inteligentes.

Em razão disso, e atendendo-se aos objetivos finalistas do Universo, não será possível esquecer o Plano Divino, quando se trate de qualquer imersão mais profunda na Genética, ainda mesmo que isso repugne aos cultores da ciência materialista.

Como se estruturaram os cromatídeos nos cromossomas é problema que, de todo, por enquanto, nos escapa ao sentido, mas sabemos que os arquitetos espirituais, entrosados à Supervisão Celeste, gastaram longos séculos preparando as células que serviriam de base ao reino vegetal, combinando nucleoproteínas a glúcides e a outros elementos primordiais, a fim de que se estabelecessem um nível seguro de forças constantes entre a bagagem do núcleo e do citoplasma.

Com semelhante realização, o princípio inteligente começa a desenvolver-se do ponto de vista fisiopsicossomático. 1.7.2

Não apenas a forma física do futuro promete então revelar-se, mas também a forma espiritual.

Fatores da hereditariedade – Na intimidade dos corpúsculos simples que evoluiriam para a feição de máquinas microscópicas, formadas de protoplasma e paraplasma, fixam-se, vagarosamente, sob influenciação magnética, os fragmentos de cromatina, organizando-se os cromossomas em que seriam condensadas as fórmulas vitais da reprodução.

Processos múltiplos de divisão passam a ser experimentados.

A divisão direta ou amitose é largamente usada para, em seguida, surgir a mitose ou divisão indireta, em que as alterações naturais da mônada celeste se refletem no núcleo, prenunciando sempre maiores transformações.

Lentamente, os cromossomas adquirem a sua apresentação peculiar, em forma de *ponto-alça-bastonete-bengala*, e a evolução que lhes diz respeito na cariocinese, desde a prófase à telófase, merece a melhor atenção dos construtores divinos, que por meio do centro celular mantêm a junção das forças físicas e espirituais, ponto esse em que se verifica o impulso mental, de Natureza eletromagnética, pelo qual se opera o movimento dos cromossomas, na direção do equador para os polos da célula, cunhando as leis da hereditariedade e da afinidade que se vão exercer, dispondo nos cromatídeos, em forma de granulações perfeitamente identificáveis entre o leptotênio e o paquitênio, os genes ou fatores da hereditariedade, que, no transcurso dos séculos, são fixados em número e valores diferentes para cada espécie.

Arquivo dos reflexos condicionados – Através dos estágios *nascimento-experiência-morte-experiência-renascimento* nos planos físico e extrafísico, as crisálidas de consciência, dentro do princípio de repetição, respiram sob o sol como seres autótrofos no reino vegetal, onde as células, nas espécies variadas em que se aglutinam, se reproduzem de modo absolutamente semelhante.

1.7.3   Nesse domínio, o princípio inteligente, servindo-se da herança, e por intermédio das experiências infinitamente recapituladas, habilita-se à diferenciação nos flagelados, ascendendo progressivamente à diferenciação maior na escala animal, em que o corpo espiritual, à feição de protoforma humana, já oferece moldes mais complexos, diante das reações do sistema nervoso, eleito para sede dos instintos superiores, com a faculdade de arquivar reflexos condicionados.

Construção do destino – Sofrem as células transformações profundas, porque o elemento espiritual deve agora viver como ser alótrofo, somente conseguindo manter-se com o produto de matérias orgânicas já elaboradas.

Com a passagem do tempo, e sob a inspiração dos arquitetos espirituais que lhe orientam a evolução da forma, avança na rota do progresso, plasmando implementos novos no veículo de expressão.

Entre a esfera terrena e a esfera espiritual, adquire os organulos particulares com que passa a atender variadas funções entre os protozoários, como sejam, os vacúolos pulsáteis para a sustentação do equilíbrio osmótico e os vacúolos digestivos para o equilíbrio da nutrição.

Nos metazoários, conquista um carro fisiológico, estruturado em aparelhos e sistemas constituídos de órgãos, que, a seu turno, são formados de tecidos, compostos por células em complicado regime de diferenciação e, passando por longas e porfiadas metamorfoses, atinge o reino hominal, em que os gametas se erigem, especializados e seguros, no aparelho de reprodução, com elementos e recursos característicos para o homem e para a mulher, no imo do centro genésico, entre os aparelhos de metabolismo e os sistemas de relação.

No ato da fecundação, reúnem-se os pronúcleos masculino e feminino, mesclando as unidades cromossômicas paternas e maternas, a fim de que o organismo, obedecendo à repetição na Lei da Hereditariedade, se desenvolva dentro dos caracteres genéticos de que descende; mas agora, no reino humano, o Espírito, entregue ao comando da própria vontade, determina com a simples presença ou influência, no campo materno, os mais complexos fenômenos endomitóticos no interior do ovo, edificando as bases de seu próprio destino, no estágio da existência cujo início o berço assinala.   1.7.4

Hereditariedade e afinidade – Nas épocas remotas, os semeadores divinos guiavam a elaboração das formas, traçando diretrizes ao mundo celular, em favor do princípio inteligente, então conduzido ante a sociedade espiritual como a criança irresponsável ante a sociedade humana; todavia, à medida que se lhe alteia o conhecimento, passa a responsabilizar-se por si mesmo, pavimentando o caminho que o investirá na posse da herança celestial no regaço da consciência cósmica.

Com alicerces na hereditariedade, toma a forma física e se desvencilha dela para retomá-la em nova reencarnação capaz de elevar-lhe o nível cultural ou moral, quando não seja para refazer tarefas que deixou viciadas ou esquecidas na retaguarda.

Contudo, ligado inevitavelmente aos princípios de sequência, é compelido a renascer na Terra ou a viver além da morte, com raras exceções, entre os seus próprios semelhantes, porquanto hereditariedade e afinidade no plano físico e no Plano Extrafísico, respectivamente, são leis inelutáveis, sob as quais a alma se diferencia para a Esfera Superior, por sua própria escolha, aprendendo com larga soma de esforço a reger-se pelo bem invariável, que, lhe assegurando equilíbrio, também lhe confere poder sobre os fatores circunstanciais do próprio ambiente, a fim de criar valores mais nobres para os seus impulsos de perfeição.

1.7.5 **Geometria transcendente** – Chegada a essa eminência, a criatura submete-se à Lei da Hereditariedade, com o direito de alterar-lhe as disposições fundamentais até ponto não distante do limite justo, segundo o merecimento de que disponha. Para ajudar os semelhantes na escalada a mais amplas aquisições na senda evolutiva, recolhe, assim, concurso precioso dos organizadores do progresso, na mitose do ovo que lhe facultará novo corpo no mundo, uma vez que toda permuta de cromossomas no vaso uterino está invariavelmente presidida por agentes magnéticos ordinários ou extraordinários, conforme o tipo da existência que se faz ou refaz, com as chaves da hereditariedade atendendo aos seus fins.

Eis por que, interpretando os cromossomas à guisa de caracteres em que a mente inscreve, nos corpúsculos celulares que a servem, as disposições e os significados dos seus próprios destinos, caracteres que são constituídos pelos genes, como as linhas são formadas de pontos, genes aos quais se mesclam os elementos chamados bióforos, e tomando os bióforos, nesses pontos, como os grânulos de tinta que os colorem, será lícito comparar os princípios germinativos, nos domínios inferiores, aos traços da Geometria elementar, que apenas cogita de linhas e figuras simples da evolução, para encontrar, nesses mesmos princípios, nos domínios superiores da alma, a Geometria transcendente, aplicada aos cálculos diferenciais e integrais das questões de causa e efeito.

Hereditariedade e conduta – Portanto, como é fácil de sentir e apreender, o corpo herda naturalmente do corpo, segundo as disposições da mente que se ajusta a outras mentes, nos circuitos da afinidade, cabendo, pois, ao homem responsável reconhecer que a hereditariedade relativa, mas compulsória, lhe talhará o corpo físico de que necessita em determinada encarnação, não lhe sendo possível alterar o plano de serviço que mereceu ou de que foi incumbido segundo as suas aquisições e necessidades, mas pode, pela própria conduta feliz ou infeliz, acentuar ou esbater a coloração dos programas que lhe indicam a rota, por meio dos bióforos ou unidades de força psicossomática que atuam no citoplasma, projetando sobre as células e, consequentemente, sobre o corpo, os estados da mente, que estará enobrecendo ou agravando a própria situação, de acordo com a sua escolha do bem ou do mal.

Uberaba, 5-2-1958.

8
Evolução e metabolismo

1.8.1   **Suprimentos da vida** – Observamos a chegada dos princípios inteligentes no mundo e a sua respectiva expansão, assim como um exército que, para atender às próprias necessidades, organiza, de início, a precisa cobertura de suprimentos. Primeiro, as bactérias lavrando o solo para que as plantas proliferassem, criando atmosfera adequada ao reino animal. Depois das plantas, aparecem os animais, gerando recursos orgânicos para que o instinto pudesse expandir-se no rumo da inteligência. E, em seguida ao animal, surge o homem, plasmando os valores definitivos da inteligência, para que a Humanidade se concretize a caminho da angelitude.

Fases progressivas do metabolismo – Em todos os reinos da Natureza, o elemento espiritual aprende a nutrir-se e preservar-se.

Por milhares de séculos, repete as operações da fotossíntese ou assimilação clorofiliana no império verde, pela qual consome energia luminosa e elabora matérias orgânicas, desprendendo o oxigênio indispensável à constituição do ar atmosférico, e recapitula as operações da quimiossíntese, em formas autótrofas, como sejam certas classes de bactérias, que se utilizam de energia química para viver, por meio da oxidação de compostos minerais.

Gradativamente, no domínio vegetal, assimila os mecanismos mais íntimos da respiração, absorvendo o oxigênio e eliminando o gás carbônico pelos estômatos e pneumatódios, cutícula e lenticelas, de modo a conduzir o oxigênio sobre as matérias orgânicas para a formação dos produtos de desassimilação e projeção de energia. 1.8.2

E, lentamente, em meio desprovido de matérias orgânicas, qual acontece com as nitrobactérias, as sulfobactérias, as ferrobactérias etc., aprende também a oxidar respectivamente o amoníaco ou os nitritos, o ácido sulfídrico, o óxido ferroso.

Em semelhantes atividades, infinitamente repetidas, habilita-se ao ingresso no reino animal, onde, em estágios evolutivos mais nobres, se matriculará na técnica da elaboração automática dos catalisadores químicos, com a faculdade de transubstanciar matérias orgânicas complexas em recursos assimiláveis.

Milênios transcorrem para que então consiga adestrar-se nas diástases diversas, como sejam as proteases e as zímases, entre os fermentos hidrolisantes e decomponentes.

A crisálida de consciência inicia-se, dessa forma, na fabricação de prótides, glúcides, lípides e outros meios de nutrição, aprendendo igualmente a emitir hormônios de crescimento e vitaminas diversas no ciclo das plantas.

Não apenas tecidos e órgãos do corpo físico se esboçam nas formas rudimentares da Natureza, mas também os centros vitais do corpo espiritual, que, obedecendo aos impulsos da mente, se organizam em moldes seguros, com a capacidade de assimilar as partículas multifárias da vitalidade cósmica, oriundas das fontes vivas de força que alimentam o Universo.

Excitações químicas – Governando as células físicas, os agentes de Natureza espiritual se evidenciam em todos os processos de nutrição, motivando as chamadas excitações químicas, também classificáveis por quimiotactismo eletromagnético.

1.8.3   O princípio inteligente, tocado por múltiplos estímulos, sob o império de atrações e repulsões, haure elementos quimiotácticos eletromagnéticos no laboratório das forças universais, por meio da respiração, para conservar-se e defender-se, preservando os valores de reprodução e sustentação.

É assim que as células masculinas dos fetos são atraídas pelo ácido málico, enquanto as bactérias se movimentam obedecendo também a estímulos de ordem química.

Os óvulos de certos peixes e equinodermos, entre estes o ouriço-do-mar, sem a presença da fêmea que os deita, têm o poder de atrair os espermatozoides separados da mesma espécie, demonstrando que arrojam de si mesmos substância específica na perpetuação que lhes é própria.

Entre os animais, as células da reprodução segregam substâncias particulares com que se procuram mutuamente, evoluindo o veículo psicossomático para mais altos níveis de consciência sobre as mais amplas formas de quimiotropismo constante, em bases de excitações exógenas e endógenas.

Administração do metabolismo – Laborando pacientemente nos séculos e alcançando a civilização elementar do paleolítico, a mente humana controla então, quase que plenamente, o corpo que se exprime, formado sob a tutela e o auxílio incessante dos construtores espirituais, passando a administrar as ocorrências do metabolismo, em sua organização e adaptação, por meio da coordenação de seus próprios impulsos sobre os elementos albuminoides do citoplasma, em que as forças físicas e espirituais se jungem no campo da experiência terrestre.

Os sistemas enzimáticos revelam-se definidos e as glândulas de secreção interna fabricam variados produtos, refletindo o trabalho dos centros vitais da alma.

Hormônios e para-hormônios, fermentos e cofermentos, 1.8.4
vitaminas e outros controladores químicos, tanto quanto preciosas reservas nutritivas, equacionam os problemas orgânicos, harmonizando-se em produção e níveis precisos, na cota de determinados percentuais, conforme as ordens instintivas da mente.

Todos os serviços da província biológica, inclusive as emoções mais íntimas, são sustentados por semelhantes recursos, constantemente lançados pelo próprio Espírito no cosmo de energia dinâmica em que se manifesta.

Experiências valiosas, efetuadas com pleno êxito, comprovaram que a própria miosina ou sistema albuminoide da contração muscular detém consigo as qualidades de um fermento, a adenosinatrifosfatase, responsável pela catálise da reação química fundamental que exonera a energia indispensável ao refazimento das partículas miosínicas dos tecidos musculares.

Acumulações de energia espiritual – Por intermédio dos mitocôndrios, que podem ser considerados acumulações de energia espiritual em forma de grânulos, assegurando a atividade celular, a mente transmite ao carro físico a que se ajusta, durante a encarnação, todos os seus estados felizes ou infelizes, equilibrando ou conturbando o ciclo de causa e efeito das forças por ela própria libertadas nos processos endotérmicos, mantenedores da biossíntese.

Nessa base, dispomos largamente dos anticorpos e dos múltiplos agentes imunológicos cunhados pela governança do Espírito, em favor da preservação do corpo, de acordo com as multimilenárias experiências adquiridas por ele mesmo, na lenta e laboriosa viagem a que foi constrangido nas faixas inferiores da Natureza.

Da mesma sorte, possuímos, funcionando automaticamente, a secretina, a tiroxina, a adrenalina, a luteína, a insulina, a foliculina, os hormônios gonadotrópicos e unidades outras, entre as secreções internas, à guisa de aceleradores e excitantes, moderadores e reatores, transformadores e calmantes das atividades químicas nos vários departamentos de trabalho em que se subdivide o estado fisiológico.

1.8.5 **Impulsos determinantes da mente** – Sobre os mesmos alicerces referidos, surpreendemos, ainda, as enzimas numerosas, como a pepsina, isolada por Northrop,[15] e a catalase definida por Von Euler,[16] tanto quanto outras muitas, que a ciência terrestre, gradualmente, saberá descobrir, estudar, fixar e manobrar, com vistas à manutenção e defesa da saúde física e da integridade mental do homem, no quadro de merecimentos da Humanidade, uma vez que todos os estados especiais do mundo orgânico, inclusive o da renovação permanente das células, a prostração do sono, a paixão artística, o êxtase religioso e os transes mediúnicos são acalentados nos circuitos celulares por fermentações sutis, aí nascidas por meio de impulsos determinantes da mente, por ela convertidos, nos órgãos, em substâncias magnetoeletroquímicas, arremessadas de um tecido a outro, guardando a faculdade de interferir bruscamente nas propriedades moleculares ou de catalisar as reações desse ou daquele tipo, destinadas a garantir a ordem e a segurança da vida, na urdidura das ações biológicas.

Em identidade de circunstâncias, nos traumas cerebrais da cólera e do colapso nervoso, da epilepsia e da esquizofrenia, como em tantas outras condições anômalas da personalidade, vamos encontrar essas mesmas fermentações no campo das células, mas em caráter de energias degeneradas, que correspondem às turvações mentais que as provocam.

Metabolismo do corpo e da alma – O metabolismo subordina-se, desse modo, à direção espiritual, tanto mais intensa e exatamente quanto maior a cota de responsabilidade do ser pelo conhecimento e discernimento de que disponha, e, em

---

[15] N.E.: John Northrop (1891–1987), bioquímico norte-americano.
[16] N.E.: Ulf von Euler (1905–1983), biologista sueco.

plena floração da inteligência, podemos identificá-lo não apenas no embate das forças orgânicas, mas também no domínio da alma, porquanto raciocínio organizado é pensamento dinâmico e, com o pensamento consciente e vivo, o homem arroja de si mesmo forças criadoras e renovadoras, forjando, desse modo, na matéria, no espaço e no tempo, os meandros de seu próprio destino.

Pedro Leopoldo, 9-2-1958.

9
Evolução e cérebro

1.9.1 **Formação do mundo cerebral** – No regaço do tempo, os arquitetos divinos auxiliam a consciência fragmentária na construção do cérebro, o maravilhoso ninho da mente, necessitada de mais ampla exteriorização.

A massa de células nervosas que precede a formação do mundo cerebral, nos invertebrados, dá lugar à invaginação do ectoderma nos vertebrados, constituindo-se, lentamente, a vesícula anterior ou prosencéfalo, a vesícula média ou mesencéfalo e a vesícula posterior ou rombencéfalo.

Nos peixes, os hemisférios cerebrais mostram-se ainda muito reduzidos, nos anfíbios denotam desenvolvimento encorajador e nos répteis avançam em progresso mais vasto, configurando já, com alguma perfeição, o aqueduto de Sylvius, aprimorando-se, com mais segurança, em semelhante fase, na forma espiritual, o centro coronário do psicossoma futuro, a refletir-se na glândula pineal, já razoavelmente plasmada em alguns lacertídeos, qual o rincocéfalo da Nova Zelândia, em que a epífise embrionária se prolonga até a região parietal, aí assumindo a feição de um olho com implementos característicos.

1.9.2 Zoólogos respeitáveis consideram o mencionado aparelho como um globo ocular abandonado pela Natureza; contudo, é aí que a epífise começa a consolidar-se, por fulcro energético de sensações sutis para a tradução e seleção dos estados mentais diversos, nos mecanismos da reflexão e do pensamento, da meditação e do discernimento, prenunciando as operações da mediunidade, consciente ou inconsciente, pelas quais Espíritos encarnados e desencarnados se consorciam uns com os outros na mesma faixa de vibrações, para as grandes criações da Ciência e da Religião, da Cultura e da Arte, na jornada ascensional para Deus, quando não seja nas associações psíquicas de espécie inferior ou de Natureza vulgar, em que as almas prisioneiras da provação ou da sombra se retratam reciprocamente.

Girencefalia e lissencefalia – Prossegue o crescimento dos hemisférios cerebrais nas aves, com significativas porções cerebelares, para encontrarmos, nos mamíferos, o encéfalo com apreciáveis dotações, apresentando circunvoluções nos girencéfalos e aumento expressivo na área do córtex.

Quanto mais se verticaliza a escalada, mais se reduz a percentagem volumétrica do cerebelo, enquanto os hemisférios cerebrais se dilatam; contudo, é preciso destacar que esse fenômeno de progressão, fundamentalmente, não se relaciona com a inteligência, e nem esta é, a rigor, proporcional ao número de circunvoluções cerebrais, tanto que mamíferos, quais o coelho, o canguru, o ornitorrinco e até mesmo certos primatas, possuem cérebro lissencéfalo ou sem circunvoluções.

A girencefalia e a lissencefalia obedecem a tipificações traçadas pelos orientadores maiores, no extenso domínio dos vertebrados, preparando o cérebro humano com a estratificação de lentas e múltiplas experiências sobre a vasta classe dos seres vivos.

1.9.3   À maneira de crianças tenras, internadas em jardim de infância para aprendizados rudimentares, animais nobres desencarnados, a se destacarem dos núcleos de evolução fisiopsíquica em que se agrupam por simbiose, acolhem a intervenção de instrutores celestes, em regiões especiais, exercitando os centros nervosos.

Fator de fixação – Os neurônios nascem e se renovam milhões de vezes no plano físico e no Plano Extrafísico, na estruturação de cérebros experimentais, com mais vivos e mais amplos ingredientes do corpo espiritual, quando em função nos tecidos físicos, até que se ergam em unidades morfológicas definitivas do sistema nervoso.

Demonstrando formação especialíssima, porquanto reproduz mais profundamente a tessitura das células psicossomáticas, o neurônio é toda uma usina microscópica, constituindo-se de um corpo celular com prolongamentos, apresentando o núcleo escassa cromatina e um nucléolo.

Acha-se o núcleo cercado de protoplasma em que há mitocôndrios, neurofibrilas, aparelho de Golgi, melanina abundante e um pigmento ocre, estreitamente relacionado com o corpo espiritual, de função muito importante na vida do pensamento, aumentando consideravelmente na madureza e na velhice das criaturas, além de uma substância, invisível na célula em atividade, a espalhar-se no citoplasma e nos dendritos, facilmente reconhecível, por intermédio de corantes básicos, quando a célula se encontra devidamente fixada; essa substância — a expressar-se nos chamados corpúsculos de Nissl, que podem sofrer a cromatólise — representa *alimento psíquico*, haurido pelo corpo espiritual no laboratório da vida cósmica, por meio da respiração, durante o repouso físico para a restauração das células fatigadas e insubstituíveis.

O pigmento ocre que a ciência humana observa, sem maiores definições, é conhecido no Mundo Espiritual como *fator de fixação*, como que a encerrar a mente em si mesma, quando esta se distancia do movimento renovador em que a vida se exprime e avança, adensando-se ou rarefazendo-se ele, nos círculos humanos, conforme a atitude mental do Espírito na cota de tempo em que se lhe perdure a existência carnal.

Reflexos-tipos – Estabelecidos os centros nervosos em que se entrosam as forças fisiopsicossomáticas, os reflexos-tipos são organizados no reino animal, fixando-se o reflexo de flexão, que consta da flexão de um membro atacado na superfície por estímulos de variadas origens, o reflexo fásico, que interessa a defesa própria na remoção de estímulos perniciosos, o reflexo miotático, a evidenciar-se na contração de um músculo quando responde à extensão de suas fibras, os reflexos posturais diversos e os múltiplos reflexos segmentares e intersegmentares, com os arcos que lhes são característicos, tanto na parte aferente como na eferente, preparando-se o veículo fisiopsicossomático do porvir em suas reações nervosas fundamentais. 1.9.4

Por meio deles, o encéfalo, conservando consigo o centro coronário e o centro cerebral, registra excitações inúmeras, para que as faculdades de percepção e seleção, atenção e escolha se consolidem.

Formação dos sentidos – No corpo dos animais superiores, obra-prima de supervisão e construção dos arquitetos do Espírito, no transcurso dos séculos, a consciência fragmentária acrisola, então, os sentidos.

Findo longo período de trabalho, afirma-se o tato, por sentido cutâneo essencial, a espraiar-se por toda a pele. Esta se converte em superfície receptora, com variadas terminações nervosas que se salientam por extrema complexidade, desde as arborizações simples até os corpúsculos especializados que se localizam dentro da derme, utilizando células especiais, em comunicação incessante com o cérebro, para que as sensações táteis constantes possam defender os patrimônios da vida.

1.9.5   Adestrada a atenção, o animal na esfera física e na esfera extrafísica elabora, por atividades reflexas, várias substâncias que lhe excitam os centros receptivos, definindo os chamados sentidos químicos, a culminarem no olfato e no gosto.

No epitélio olfatório, as células basais, as de sustentação e as olfativas, sobre as glândulas de Bowman, que se encarregam de fornecer o muco necessário à discriminação dos elementos odoríferos, operam a seleção das propriedades aromáticas das substâncias, e, no dorso da língua, na epiglote, na face posterior da faringe como no véu do paladar, os corpúsculos gustativos, guardando as células epiteliais de sustentação e as células gustativas, associados às pequenas glândulas salivares, fazem o registro das substâncias destinadas à nutrição.

Visão e audição – O sentido da vista, admiravelmente fixado, passa a permitir a constituição das imagens dos objetos na retina, segundo um sistema dióptrico particular, aperfeiçoando-se as células receptoras da luz, cujo impulso nervoso alcança as vias ópticas, transportando as imagens captadas até a profundez do cérebro, onde a mente incorpora as interpretações que lhe são próprias e analisa-as, plasmando observações para o arquivo da memória e da experiência.

E a audição, alicerçando-se em órgão complexo, consolida-se no ouvido interno (protegido pelo ouvido externo e pelo ouvido médio), em que o tubo coclear, a dividir-se em três compartimentos, vai encontrar as células evoluídas dos órgãos de Corti e as fibras nervosas do acústico encarregadas de transmitir as vibrações sonoras que atingem o ouvido médio, em estímulos nervosos, a saírem através do nervo auditivo na direção da mente, que realiza a seleção dos valores atinentes às sensações de tom, intensidade e timbre, estabelecendo, em seu próprio favor, vasta rede de reflexos condicionados com expressão decisiva em seu desenvolvimento.

Sob a orientação das Inteligências sublimes, cada sentido se instala em organização especial, formada de vários aparelhos e implementos. Também o cérebro integral se organiza em lobos diversos, com vasta margem de recursos para o futuro, quando a alma então nascente, em atividade instintiva na construção de seu próprio veículo, se erigirá em consciência desperta com capacidade de utilizar as vantagens potenciais que a Divina Sabedoria lhe oferta.

Microcosmo prodigioso – Com o tempo, a Direção espiritual da vida consegue, enfim, organizar, com mais eficiência, o sistema nervoso autônomo, regulando e coordenando as funções das vísceras.

Estruturam-se, desse modo, primorosamente, a inervação visceral aferente e eferente e os centros coordenadores, os sistemas simpático e parassimpático e as fibras pré e pós-ganglionares de Langley, com os neurônios a edificarem vias eletromagnéticas de comunicação entre o governo espiritual e as províncias orgânicas.

Em todos os ângulos do cérebro, esse microcosmo prodigioso, células especiais permanecem sob o controle do espírito, assimilando-lhe os desejos e executando-lhe as ordens no automatismo que a evolução lhe confere.

Desde o grupo tectobulbar das fibras pré-ganglionares, saindo com os pares cranianos, tecidas com neurônios no mesencéfalo, protuberância e bulbo e incluindo os núcleos supra-ópticos, paraventriculares e a parede anterior do infundíbulo, até o grupo sacro, com neurônios localizados na medula sacra, nervos especiais funcionam como estações emissoras e receptoras, manipulando a energia mental, projetada ou recolhida pela mente, em ação constante, nos domínios da sensação e da ideia, em conexões e trajetos que a ciência do homem mal começa a perceber, atuando nos demais centros do corpo espiritual e nas zonas fisiológicas que os configuram no veículo somático, através de circuitos reflexos.

1.9.7 No diencéfalo, campo essencialmente sensitivo e vegetativo, parte das mais primitivas do sistema nervoso central, o centro coronário, por fulcro luminoso, entrosa-se com o centro cerebral, a exprimir-se no córtex e em todos os mecanismos do mundo cerebral, e, dessa junção de forças, o espírito encontra no cérebro o gabinete de comando das energias que o servem, como aparelho de expressão dos seus sentimentos e pensamentos, com os quais, no regime de responsabilidade e de autoescolha, plasmará, no espaço e no tempo, o seu próprio caminho de ascensão para Deus.

Uberaba, 12-2-1958.

10
Palavra e responsabilidade

Linguagem animal – Aperfeiçoando as engrenagens do cérebro, o princípio inteligente sentiu a necessidade de comunicação com os semelhantes e, para isso, a linguagem surgiu entre os animais, sob o patrocínio dos gênios veneráveis que nos presidem a existência. 1.10.1

De início, o fonema e a mímica foram os processos indispensáveis ao intercâmbio de impressões ou para o serviço de defesa, como, por exemplo, o silvo de vários répteis, o coaxar dos batráquios, as manifestações sonoras das aves e o mimetismo de alguns insetos e vertebrados a se modificarem subitamente de cor, preservando-se contra o perigo.

Contudo, à medida que se lhe acentuava a evolução, a consciência fragmentária investia-se na posse de mais amplos recursos.

O lobo grita pelos companheiros na sombra noturna, o gato encolerizado mostra fúria característica, miando raivosamente, o cavalo relincha de maneira particular, expressando alegria ou contrariedade, a galinha emite interjeições adequadas para anunciar a postura, acomodar a prole, alimentar os pintinhos ou rogar socorro quando assustada, e o cão é quase humano em seus gestos de contentamento e em seus ganidos de dor.

1.10.2 **Intervenções espirituais** – É assim que, atingindo os alicerces da Humanidade, o corpo espiritual do homem infraprimitivo demora-se longo tempo em regiões espaciais próprias, sob a assistência dos instrutores do Espírito, recebendo intervenções sutis nos petrechos da fonação para que a palavra articulada pudesse assinalar novo ciclo de progresso.

A laringe, situada acima da traqueia e adiante da faringe, consubstanciada num esqueleto cartilaginoso, urdida em fibras e ligamentos, com uma seleta de pequenos músculos, sofre, nas mãos sábias dos condutores espirituais, à maneira de um órgão precioso entre os dedos de cirurgiões exímios no serviço de plástica, delicadas operações no curso dos séculos, para que os músculos mencionados se façam simétricos e para que se vinculem, tão destros quanto possível, à produção fisiológica da voz.

Em sua contextura interna aglutina-se uma mucosa ciliada que se destina ao trabalho de lançamento do som e que verte pelos estreitamentos, transformando-se em pavimentosa estratificada na borda livre das cordas vocais verdadeiras.

Fora da ação das cordas vocais, a laringe revela no pescoço movimentos de ascensão e descensão, elevando-se na expiração e na deglutição e baixando na inspiração, na sucção e no bocejar, salientando-se no corpo qual perfeito instrumento de efeitos musicais.

Mecanismo da palavra – Com o extremo carinho de vagarosa confecção, os técnicos da Espiritualidade Superior compõem a cartilagem situada em plano inferior, a cricoide, que representa um anel modificado da traqueia, sustentando uma placa na parte posterior, sobre a qual, no bordo superior e de ambos os lados da linha média, se apoiam as duas aritenoides, que se permitem, assim, a conjunção ou o afastamento entre si. Cada uma possui na base uma apófise: a interna, vocal, em que está inserida a parte posterior da corda vocal verdadeira do mesmo lado, e a outra, que é externa, muscular. Com a mesma habilidade, os técnicos tecem a cartilagem localizada na região anterior ou cartilagem tireoide, a destacar-se sob a pele no chamado pomo de adão, em suas lâminas verticais que se conjugam na linha mediana, traçando um ângulo diedro que se volta para a retaguarda e onde se fixam as cordas vocais verdadeiras, cartilagem essa que, por baixo, se une com o anel da cricoide, e, por cima, com o osso hioide, por meio de membranas e ligamentos, o qual fornece apoio para a implantação da laringe.

Acima das cordas vocais verdadeiras, surgem as cordas vocais falsas a limitarem com a parede os ventrículos laterais de Morgagni. 1.10.3

Todos os músculos que garantem o movimento das cordas são pares, exceto o ariaritenoideo, assegurando as funções da glote vocal e formando, com avançado primor de previsão e eficiência, a abóbada de precioso condicionamento, onde a pressão do ar pode fazer-se com segurança para separar as cordas vocais em serviço.

Linguagem convencional – Aprende então o homem, com o amparo dos sábios Tutores que o inspiram, a constituição mecânica das palavras, provindo da mente a força com que aciona os implementos da voz, gerando vibrações nos músculos torácicos, incluindo os pulmões e a traqueia como num fole, e fazendo ressoar o som na laringe e na boca, que exprimem também cavidades supraglóticas, para a criação, enfim, da linguagem convencional, com que reforça a linguagem mímica e primitiva por ele adquirida na longa viagem pelo reino animal.

A esse modo natural de exprimir-se por gestos e atitudes silenciosos, em que derrama as suas forças acumuladas de afetividade e satisfação, desagrado ou rancor, em descargas fluídico-eletromagnéticas de Natureza construtiva ou destrutiva, superpõe a criatura humana os valores do verbo articulado, com que acrisola as manifestações mais íntimas, habilitando-se a recolher, por intermédio de sinalética especial na escala dos sons, a experiência dos irmãos que caminham na vanguarda e aprendendo a educar-se para merecer esse tipo de assistência que lhe outorgará o estado de alegria maior, ante as perspectivas da cultura com que a vida lhe responde às indagações.

1.10.4 **Pensamento contínuo** – Com o exercício incessante e fácil da palavra, a energia mental do homem primitivo encontra insopitável desenvolvimento, por adquirir gradativamente a mobilidade e a elasticidade imprescindíveis à expansão do pensamento que, então paulatinamente, se dilata, estabelecendo no mundo tribal todo um oceano de energia sutil, em que as consciências encarnadas e desencarnadas se refletem, sem dificuldade, umas às outras.

Valendo-se dessa instituição de permuta constante, as Inteligências Divinas dosam os recursos da influência e da sugestão e convidam o Espírito terrestre ao justo despertamento na responsabilidade com que lhe cabe conduzir a própria jornada...

Pela compreensão progressiva entre as criaturas, por intermédio da palavra que assegura o pronto intercâmbio, fundamenta-se no cérebro o pensamento contínuo e, por semelhante maravilha da alma, as *ideias-relâmpagos* ou as *ideias-fragmentos* da crisálida de consciência, no reino animal, se transformam em conceitos e inquirições, traduzindo desejos e ideias de alentada substância íntima.

Começando a fixar o pensamento em si mesmo, fatigando-se para concatená-lo e exprimi-lo, confiou-se o homem a novo tipo de repouso — a meditação compulsória, ante os problemas da própria vida —, passando a exteriorizar, inconscientemente, as próprias ideias e, com isso, a desprender-se do carro denso de carne, desligando as células de seu corpo espiritual das células físicas, durante o sono comum, para receber, em atitude passiva ou de curta movimentação, junto do próprio corpo adormecido, a visita dos benfeitores espirituais que o instruem sobre as questões morais.

O continuísmo da ideia consciente acende a luz da memória sobre o pedestal do automatismo. 1.10.5

Luta evolutiva – Entre a alma que pergunta, a existência que se expande, a ansiedade que se agrava e o Espírito que responde ao Espírito, no campo da intuição pura, esboça-se imensa luta.

O homem que lascava a pedra e que se escondia na furna, escravizando os elementos com a violência da fera e matando indiscriminadamente para viver, instado pelos instrutores amigos que lhe amparam a senda, passou a indagar sobre a causa das coisas... Constrangido a aceitar os princípios de renovação e progresso, refugia-se no *amor-egoísmo*, na intimidade da prole, que lhe entretém o campo íntimo, ajudando-o a pensar.

Observa-se tocado por estranha metamorfose.

Vê, instintivamente, que não mais se poderia guiar pela excitabilidade dos seus tecidos orgânicos ou pelos apetites furiosos herdados dos animais...

Desligado lentamente dos laços mais fortes que o prendiam às Inteligências Divinas, a lhe tutelarem o desenvolvimento para que se lhe afirmem as diretrizes próprias, sente-se sozinho, esmagado pela grandeza do Universo.

A ideia moral da vida começa a ocupar-lhe o crânio.

O Sol propicia-lhe a concepção de um Criador, oculto no seio invisível da Natureza, e a noite povoa-lhe a alma de visões nebulosas e pesadelos imaginários, dando-lhe a ideia do combate incessante em que a treva e a luz se digladiam.

Abraça os filhinhos com enternecimento feroz, buscando a solidariedade possível dos semelhantes na selva que o desafia.

1.10.6 Mentaliza a constituição da família e padece na defesa do lar.

Os *porquês* a lhe nascerem fragmentários, no íntimo, insuflam-lhe aflição e temor.

Percebe que não mais pode obedecer cegamente aos impulsos da Natureza, ao modo dos animais que lhe comungam a paisagem, mas sim que lhe cabe agora o dever de superar-lhes os mecanismos, como quem vê no mundo em que vive a própria moradia, cuja ordem lhe requisita apoio e cooperação.

Nascimento da responsabilidade – A ideia de Deus iniciando a Religião, a indagação prenunciando a Filosofia, a experimentação anunciando a Ciência, o instinto de solidariedade prefigurando o amor puro e a sede de conforto e beleza inspirando o nascimento das indústrias e das artes eram pensamentos nebulosos torturando-lhe a cabeça e inflamando-lhe o sentimento.

Nesse concerto de forças, a morte passou a impor-lhe angustiosas perquirições e, enterrando os seus entes amados em sepulcros de pedra, o homem rude, a iniciar-se na evolução de Natureza moral, perdido na desértica vastidão do paleolítico, aprendeu a chorar, amando e perguntando para ajustar-se às Leis Divinas a se lhe esculpirem na face imortal e invisível da própria consciência.

Foi, então, que, reconhecendo-se ínfimo e frágil diante da vida, compreendeu que, perante Deus, seu Criador e seu Pai, estava entregue a si mesmo.

O princípio da responsabilidade havia nascido.

Pedro Leopoldo, 16-2-1958.

11
Existência da alma

Evolução morfológica e moral – A evolução morfológica 1.11.1 prosseguiu, emparelhando-se com a evolução moral.

O crânio avançou, com vagar, no rumo de aprimoramento maior, os braços refinavam-se, as mãos adquiriam excelência táctil não sonhada, e os sentidos, todos eles, progrediam em acrisolamento e percepção.

Todavia, com o advento da responsabilidade que o separara da orientação direta dos benfeitores da vida maior, entregou-se o homem a múltiplos tentames de progresso no campo do espírito.

No regime interior de livre indagação, conferia asas audaciosas ao pensamento, e, com isso, mais se lhe acentuava o poder de imaginar, facilitando-se-lhe a mentalização e o desprendimento do corpo espiritual, cujas células em conexão com as células do corpo físico se automatizavam assim, na emancipação parcial, por meio do sono, para acesso da alma a ensinamentos de estrutura superior.

Guarda a criatura humana, então, consigo, na tessitura dos próprios órgãos, a herança dos milhões de estágios diferentes, nos reinos inferiores, e, no fundo, sente-se inclinada a viver no plano dos outros mamíferos que lhe respiram a vizinhança, com o instinto absoluto dominando sem restrições; no entanto, com a evolução irreversível, o amor agigantou-se-lhe no ser, sugerindo-lhe novas disposições à própria existência.

1.11.2 **Noção do direito** – Em razão do apego aos rebentos da própria carne, institui a propriedade da faixa de solo em que se lhe encrava a moradia e, atendendo a essa mesma raiz de afetividade, traça a si próprio determinadas regras de conduta para que não imponha aos semelhantes ofensas e prejuízos que não deseja receber.

Acontece, assim, o inesperado.

O homem selvático que não pretende abandonar os apetites e prazeres da experiência animal fabrica para si mesmo os freios que lhe controlarão a liberdade, a fim de que se lhe enobreça o caráter iniciante.

Estabelecendo a posse tirânica em tudo o que julga seu, desiste de aproveitar o que pertence ao vizinho, sob pena de expor-se a penalidades cruéis.

Nasce, desse modo, para ele a noção do direito sobre o alicerce das obrigações respeitadas.

Consciência desperta – É assim que ele transformado interpreta, sob novo prisma, a importância de sua presença na Terra.

Não mais lhe seduzem a despreocupação e o nomadismo, assim como para o homem adulto é já passado o ciclo da infância.

Sabe agora que o berço carnal se reveste de significação mais profunda.

Compreende, pouco a pouco, que a vida lhe registra as contas pessoais, porquanto aprende que pode negar o braço ao companheiro necessitado de apoio, sabendo, porém, que o companheiro poderá recusar-lhe o seu, no momento em que o desequilíbrio lhe bata à porta.

Reconhece que dispõe de liberdade para matar o desafeto, 1.11.3
mas não ignora que o desafeto, a seu turno, pode igualmente
exterminar-lhe o corpo ou amargar-lhe o caminho.

Percebe que os seus gestos e atitudes para com os outros
criam nos outros atitudes e gestos semelhantes para com ele.

Com esse novo cabedal de observação, revela-se-lhe a vida
mental mais surpreendente e mais rica e, por essa mais intensa
vida íntima, retrata com relativa segurança as ideias dos Espíritos
abnegados que lhe custodiam a rota.

Desde então, não guarda a existência circunscrita à romagem berço–túmulo, por alongá-la, do ponto de vista de causa e
efeito, para além do sepulcro em que se lhe guarda o invólucro
anulado ou imprestável.

Incorporando a responsabilidade, a consciência vibra desperta e, pela consciência desperta, os princípios de ação e reação
funcionam, exatos, dentro do próprio ser, assegurando-lhe a liberdade de escolha e impondo-lhe, mecanicamente, os resultados
respectivos, tanto na esfera física quanto no Mundo Espiritual.

A larva e a criança – Nesse sentido, importa lembrar aqui,
com as diferenças justas, o símile que a vida assinala entre as
alterações da existência para a alma humana e para os insetos de
metamorfose integral.

A larva que se afasta do ovo ingressa em novo período de
desenvolvimento, que pode perdurar por muito tempo, como
ocorre entre os efemerídeos, mostrando, no começo, a membrana do corpo ainda amolecida e conservando no tubo digestivo os
remanescentes de gema da fase embrionária, para iniciar, depois
da excreção, os processos de alimentação e digestão.

A criança recém-nata retira-se do útero e entra em nova fase
de evolução, que se firma através de alguns anos. A princípio, tenra
e frágil, retém na própria organização os recursos sanguíneos que
lhes foram doados, por manutenção endosmótica, no organismo

materno, para, somente depois, eliminar, quanto lhe seja possível, esses mesmos recursos, gerando os que lhe são próprios.

1.11.4 Avançando na execução dos programas traçados para a sua existência, a larva cresce e recorre a matérias nutritivas que lhe garantam o aumento do corpo e, conforme a espécie, promove por si mesma a mudança de pele, indispensável ao condicionamento de seu próprio volume.

Satisfazendo os imperativos da própria vida, a criança se desenvolve, tomando o alimento preciso à expansão de sua máquina orgânica, passando a realizar por si, isto é, ao comando da mente, a renovação celular dos tecidos e órgãos que lhe constituem o campo somático, de maneira a que se lhe ajuste a forma física aos moldes do corpo espiritual.

Metamorfose do inseto – A larva dos insetos de transformação completa experimenta vários períodos de renovação para atingir a condição de adulto, embora permaneça com o mesmo aspecto, porquanto apenas depois da derradeira mudança de pele é que se torna pupa.

Em semelhante estágio, acusa progressiva diminuição de atividade, até que não mais suporte a alimentação.

Esvaziam-se-lhe os intestinos e paralisam-se-lhe os movimentos.

A larva protege-se, então, no solo ou na planta, preparando a própria liberação.

Permanece, assim, imóvel e não se alimenta do ponto de vista fisiológico, encrisalidando-se, segundo a espécie, em fios de seda por ela própria constituídos com a secreção das glândulas salivares, agregados a pequeninos tratos de terra ou a tecidos vegetais, formando, desse modo, o casulo em que repousa durante certo tempo, fixado em alguns dias e até meses.

Na posição de pupa, ao impacto das vibrações de sua própria organização psicossomática, sofre essencial modificação em seu organismo, modificação que, no fundo, equivale a verdadeiro aniquilamento ou histólise, ao mesmo tempo que elabora órgãos novos pelo fenômeno da histogênese, valendo-se dos tecidos que perduraram.

A histólise, que se efetua por ação dos fermentos, verifica-se notadamente nos músculos, no aparelho digestivo e nos tubos de Malpighi, com reduzida atuação no sistema nervoso e circulatório. 1.11.5

Pela histogênese, os remanescentes dos músculos estriados desfazem-se das características que lhes são próprias, perdendo, gradativamente, a sua estriação, até que se convertam, qual se obedecessem a processo involutivo, em células embrionárias fusiformes, com um núcleo exclusivo, ou mioblastos, que se dividem por segmentação, plasmando novos elementos estriados para a configuração dos órgãos típicos.

Somente então, quando as ocorrências da metamorfose se realizam, é que o inseto, integralmente renovado, abandona o casulo, revelando-se por falena leve e ágil, com o sistema bucal transformado, como acontece na borboleta de tipo sugador, na qual as maxilas se alongam, convertendo-se numa trompa, enquanto o lábio superior e as mandíbulas se atrofiam.

Entretanto, embora magnificentemente modificada, a borboleta alada e multicor é o mesmo indivíduo, somando em si as experiências dos três aspectos fundamentais de sua existência de *larva-ninfa-inseto adulto*.

"**Histogênese espiritual**" – Assim também, a criatura humana, depois do período infantil, atravessa expressivas etapas de renovação interior até alcançar a madureza corpórea, não obstante apresentar-se com a mesma forma exterior, porquanto somente após o esgotamento da força vital no curso da vida, pela senectude ou pela caquexia por intervenção da enfermidade, é que se habilita à transformação mais profunda.

1.11.6 Nesse período característico da caducidade celular ou da moléstia irreversível, demonstra gradativa diminuição de atividade, não mais tolerando a alimentação.

Pouco a pouco, declinam as suas atividades fisiológicas e a inércia substitui-lhe os movimentos.

Protege-se, desde então, no repouso horizontal em decúbito, quase sempre no leito, preparando o trabalho liberatório.

Chega, assim, o momento em que se imobiliza na cadaverização, mumificando-se à feição da crisálida, mas envolvendo-se no imo do ser com os fios dos próprios pensamentos, conservando-se nesse casulo de forças mentais, tecido com as suas próprias ideias reflexas dominantes ou *secreções de sua própria mente*, durante um período que pode variar entre minutos, horas, dias, meses ou decênios.

No ciclo de cadaverização da forma somática, sob o governo dinâmico de seu corpo espiritual, padece extremas alterações que, na essência, correspondem à histólise das células físicas, ao mesmo tempo que elabora órgãos novos pelo fenômeno que podemos nomear, por falta de termo equivalente, como *histogênese espiritual*, aproveitando os elementos vivos, desagregados do tecido citoplasmático, e que se mantinham até então ligados à colmeia fisiológica entregue ao desequilíbrio ou à decomposição.

A histólise ou processo destrutivo na desencarnação resulta da ação dos catalisadores químicos e de outros recursos do mundo orgânico que, alentados em níveis de degenerescência, operam a mortificação dos tecidos e, do ponto de vista do corpo espiritual, afetam principalmente a morfologia dos músculos e os aparelhos da nutrição, com escassa influência sobre os sistemas nervoso e circulatório.

Pela *histogênese espiritual*, os tecidos citoplasmáticos se desvencilham em definitivo de alguns dos característicos que lhes são próprios, voltando temporariamente, qual se atendessem a processo involutivo, à condição de células embrionárias multiformes que se dividem por meio da cariocinese, plasmando, em novas condições, a forma do corpo espiritual, segundo o tipo imposto pela mente.

Desencarnação do Espírito – Apenas aí, quando os acontecimentos da morte se realizam, é que a criatura humana desencarnada, plenamente renovada em si mesma, abandona o veículo carnal a que se jungia; contudo, muitas vezes intimamente aprisionada ao casulo dos seus pensamentos dominantes, quando não trabalhou para renovar-se, nos recessos do espírito, passa a revelar-se em novo peso específico, segundo a densidade da vida mental em que se gradua, dispondo de novos elementos com que atender à própria alimentação, equivalentes às trompas fluídico-magnéticas de sucção, mesmo sem perder de modo algum o aparelho bucal que nos é característico, salientando-se, aliás, que semelhantes trompas ou antenas de matéria sutil estão patentes nas criaturas encarnadas, a se lhes expressarem na aura comum, como radículas alongadas de essência dinâmica, exteriorizando-lhes as radiações específicas, trompas ou antenas essas pelas quais assimilamos ou repelimos as emanações das coisas e dos seres que nos cercam, tanto quanto as irradiações de nós mesmos, uns para com os outros. 1.11.7

Continuação da existência – Metamorfoseada, pois, não obstante o fenômeno da desencarnação, a personalidade humana continua, Além-Túmulo, o estágio educativo que iniciou no berço, sem perder a própria identidade, somando consigo as experiências da vida carnal, da desencarnação e da metamorfose no Plano Extrafísico.

Perceberemos, desse modo, que a existência da criatura, na reencarnação, substancializa-se não apenas na Terra, onde atende à plantação dos sentimentos, palavras, atitudes e ações com que se caracteriza, mas também no Mundo Espiritual, onde incorpora a si mesma a colheita da sementeira praticada no campo físico, pelo desdobramento do aprendizado com que entesoura as experiências necessárias à sublime ascensão a que se destina.

Uberaba, 5-3-1958.

12
Alma e desencarnação

Metamorfose e desencarnação – Graduando os aconteci- 1.12.1
mentos da desencarnação, é importante recorrer ainda ao mundo
dos insetos para lembrar que, se existem aqueles de metamorfose
total, existem os de metamorfose incompleta, os hemimetábolos,
cuja larva sai do ovo e se converte imediatamente num indivíduo, sem passar pela fase pupal, à feição dos malófagos, desprovidos de asas, embora possuam aparelho bucal triturador.

Apresentando características singulares, no capítulo da
transfiguração, em todas as ordens nas quais se subdividem, os
insetos, de algum modo, exprimem, no desenvolvimento da metamorfose que lhes marca a existência, a escala de fenômenos que
vige para a desencarnação dos seres de Natureza superior.

Em relação ao homem, os mamíferos que se ligam a nós
outros por extremos laços de parentesco, quando desencarnam, agregam-se aos ninhos em que se lhes desenvolvem os
companheiros e, qual ocorre entre os animais inferiores, nas
múltiplas faixas evolutivas em que se escalonam, não possuem

pensamento contínuo para a obtenção de meios destinados à manutenção de nova forma.

1.12.2 Encontram-se, desse modo, aquém da *histogênese espiritual*, inabilitados a mais amplo equilíbrio que lhes asseguraria ascensão a novo plano de consciência.

Em razão disso, efetuada a histólise dos tecidos celulares, nos sucessos recônditos da morte física, dilata-se-lhes o período de vida latente, na esfera espiritual, onde, com exceção de raras espécies, se demoram por tempo curto, incapazes de manobrar os órgãos do aparelho psicossomático que lhes é característico, por ausência de substância mental consciente.

Quando não se fazem aproveitados na Espiritualidade, em serviço ao qual se filiam durante certa cota de tempo, caem, quase sempre de imediato à morte do corpo carnal, em pesada letargia, semelhante à hibernação, acabando automaticamente atraídos para o campo genésico das famílias a que se ajustam, retomando o organismo com que se confiarão a nova etapa de experiência, com os ascendentes do automatismo e do instinto que já se lhes fixaram no ser, e sofrendo, naturalmente, o preço hipotecável aos valores decisivos da evolução.

Além da histogênese – Através desse movimento incessante da palingenesia universal, o princípio inteligente incorpora a experiência que lhe é necessária, estagiando no plano físico e no Plano Extrafísico, recolhendo, como é justo, a orientação e o influxo das Inteligências superiores em sua marcha laboriosa para mais elevadas aquisições.

Pouco acima dessas mesmas bases, vamos encontrar o homem infraprimitivo, na rusticidade da furna em que se esconde, surpreendido no fenômeno da morte, ante a glória da vida, como criança tenra e deslumbrada à frente de paisagem maravilhosa, cuja grandeza, nem de leve, pode ainda compreender.

O pensamento constante ofereceu-lhe a precisa estabilida- 1.12.3
de para a metamorfose completa.

Pela persistência e consistência das ideias, adquiriu o poder de integrar-se mentalmente, para além da histogênese, em seu corpo espiritual, arrebatando-o, com a alavanca da própria vontade que a indagação e o trabalho enriqueceram, para novo estado individual.

Acariciada pelo bafejo edificante dos condutores divinos que lhe acalentam a marcha, a criatura humana dorme o sono da morte, mumificando-se na cadaverização, como acontece à pupa.

E segregando substâncias mentais, à base de impulsos renovadores, tanto quanto certas crisálidas que segregam um líquido especial que lhes facilita a saída do próprio casulo, a alma que desencarna, findo o processo histolítico das células que lhe construíam o carro biológico, e fortificado o campo mental em que se lhe enovelaram os novos anseios e as novas disposições, logra desvencilhar-se, mecanicamente, dos órgãos físicos, agora imprestáveis, realizando, por avançado automatismo, o trabalho histogenético pelo qual desliga as células sutis do seu veículo espiritual dos remanescentes celulares do veículo físico arrojado à queda irreversível, agindo agora com a eficiência e a segurança que as longas e reiteradas recapitulações lhe conferiram.

O selvagem desencarnado – Entretanto, o homem selvagem, que se reconhece dominador na hierarquia animal, cruel habitante da floresta, que apura a inteligência, por meio da força e da astúcia, na escravização dos seres inferiores que se lhe avizinham da caverna, desperta, fora do corpo denso, qual menino aterrado, que, sentindo-se incapaz da separação para arrostar o desconhecido, permanece, tímido, ao pé dos seus, em cuja companhia passa a viver, noutras condições vibratórias, em processos multifários de simbiose, ansioso por retomar a vida física que lhe surge à imaginação como a única abordável à própria mente.

1.12.4   Não dispõe, nessa fase, de suprimento espiritual que o ajude a pensar em termos diferentes da vida tribal em que se apoia.

O espetáculo da vastidão cósmica perturba-lhe o olhar e a visita de seres extraterrestres, mesmo benevolentes e sábios, infunde-lhe pavor, crendo-se à frente de deuses bons ou maus, cuja Natureza ele próprio se incumbe de fantasiar, na exiguidade das próprias concepções.

Acuado na choça, onde a morte lhe furtou o veículo físico, respira a atmosfera morna em que se acasalam os seus herdeiros do sangue, para somente ausentar-se do reduto doméstico quando a família se afasta, instada por duras necessidades de subsistência e de asilo.

E o homem primitivo que desencarnou, suspirando pelo devotamento dos pais e, notadamente, pelo carinho do colo materno, expulso do vaso fisiológico, não tem outro pensamento senão voltar — voltar ao convívio revitalizante daqueles que lhe usam a linguagem e lhe comungam os interesses.

Monoideísmo e reencarnação – Ressurgir na própria taba e renascer na carne, cujas exalações lhe magnetizam a alma, constituem aspiração incessante do selvagem desencarnado.

Estabelece-se nele o monoideísmo pelo qual os outros desejos se lhe esmaecem no íntimo.

Pela oclusão de estímulos outros, os órgãos do corpo espiritual se retraem ou se atrofiam, por ausência de função, e se voltam, instintivamente, para a sede do governo mental, onde se localizam, ocultos e definhados, no fulcro dos pensamentos em circuito fechado sobre si mesmos, quais implementos potenciais do germe vivo entre as paredes do ovo.

Em tais circunstâncias, se o monoideísmo é somente reversível por meio da reencarnação, a criatura humana desencarnada, mantida a justa distância, lembra as bactérias que se transformam em esporos quando as condições de meio se lhes apresentam inadequadas, tornando-se imóveis e resistindo admiravelmente ao frio e ao calor, durante anos, para regressarem ao ciclo de evolução que lhes é peculiar tão logo se identifiquem, de novo, em ambiente propício.

Sentindo-se em clima adverso ao seu modo de ser, o homem primitivo desenfaixado do envoltório físico recusa-se ao movimento na esfera extrafísica, submergindo-se lentamente, na atrofia das células que lhe tecem o corpo espiritual, por *monoideísmo auto-hipnotizante*, provocado pelo pensamento *fixo-depressivo* que lhe define o anseio de retorno ao abrigo fisiológico. 1.12.5

Nesse período, afirmamos habitualmente que o desencarnado perdeu o seu corpo espiritual, transubstanciando-se num *corpo ovoide*,[17] o que ocorre, aliás, a inúmeros desencarnados outros em situação de desequilíbrio, cabendo-nos notar que essa forma, segundo a nossa maneira atual de percepção, expressa o corpo mental da individualidade, a encerrar consigo, conforme os princípios ontogenéticos da Criação Divina, todos os órgãos virtuais de exteriorização da alma, nos círculos terrestres e espirituais, assim como o ovo, aparentemente simples, guarda hoje a ave poderosa de amanhã, ou como a semente minúscula que conserva nos tecidos embrionários a árvore vigorosa em que se transformará no porvir.

Forma carnal – Todavia, assim como o germe para desenvolver-se no ovo precisa aquecer-se ao calor da ave que o acolha maternalmente ou do ambiente térmico apropriado, no recinto da chocadeira, e assim como a semente para liberar os princípios germinativos do vegetal gigantesco em que se converterá não prescinde do berço tépido no solo, os Espíritos desencarnados, sequiosos de reintegração no mundo físico, necessitam do vaso genésico da mulher que com eles se harmoniza, nas linhas

---

[17] N.E.: Ver no livro *Libertação*, do mesmo autor espiritual, recebido pelo médium Francisco Cândido Xavier, capítulos 6 e 7, observações sobre estas formas ovoides.

da afinidade e, consequentemente, da herança, vaso esse a que se aglutinam, mecanicamente, e onde, conforme as leis da reencarnação, operam em alguns dias todas as ocorrências de sua evolução nos reinos inferiores da Natureza.

1.12.6 Assimilando recursos orgânicos com o auxílio da célula feminina, fecundada e fundamentalmente marcada pelo gene paterno, a mente elabora, por si mesma, novo veículo fisiopsicossomático, atraindo para os seus moldes ocultos as células físicas a se reproduzirem por cariocinese, de conformidade com a orientação que lhes é imposta, isto é, refletindo as condições em que ela, a mente desencarnada, se encontra.

Plasma-se-lhe, desse modo, com a nova forma carnal, novo veículo ao Espírito, que se refaz ou se reconstitui em formação recente, entretecido de células sutis, veículo este que evoluirá igualmente depois do berço e que persistirá depois do túmulo.

Desencarnação natural – Por milênios consecutivos o homem ensaia a desencarnação natural, progredindo vagarosamente em graus de consciência, após a decomposição do corpo somático.

Recordando as anteriores comparações com o domínio dos insetos, a matriz uterina oferece-lhe novas formas e, assim como a larva se alimenta, assegurando a esperada metamorfose, a alma avança em experiência, enquanto no corpo carnal, adquirindo méritos ou deméritos, segundo a própria conduta, e entregando-se em seguida, no fenômeno da morte ou histólise do invólucro de matéria física, à pausa imprescindível nas próprias atividades ou hiato de refazimento, que pode ser longo ou rápido, para ressurgir, pela *histogênese espiritual*, senhoreando novos órgãos e implementos necessários ao seu novo campo de ação, demorando-se nele à medida dos conhecimentos conquistados na romagem humana.

É assim que a consciência nascente do homem pratica as lições da vida no Plano Espiritual, pela desencarnação ou libertação da alma, como praticou essas mesmas lições da vida no plano físico, pelo renascimento ou internação do elemento espiritual na matéria densa, evoluindo, degrau a degrau, desde a excitabilidade rudimentar das bactérias até o automatismo perfeito dos animais superiores em que se baseia o domínio da inteligência.

Revisão das experiências – De liberação a liberação, na ocorrência da morte, a criatura começa a familiarizar-se com a esfera extrafísica. 1.12.7

Assim como recapitula, nos primeiros dias da existência intrauterina, no processo reencarnatório, todos os lances de sua evolução filogenética, a consciência examina em retrospecto de minutos ou de longas horas, ao integrar-se definitivamente em seu corpo sutil, pela *histogênese espiritual*, durante o coma ou a cadaverização do veículo físico, todos os acontecimentos da própria vida, nos prodígios de memória a que se referem os desencarnados quando descrevem para os homens a grande passagem para o sepulcro.

É que a mente, no limiar da recomposição de seu próprio veículo, seja no renascimento biológico ou na desencarnação, revisa automaticamente e de modo rápido todas as experiências por ela própria vividas, imprimindo magneticamente às células, que se desdobrarão em unidades físicas e psicossomáticas, no corpo físico e no corpo espiritual, as diretrizes a que estarão sujeitas dentro do novo ciclo de evolução em que ingressam.

Acresce lembrar, ainda, como nota confirmativa de nossas asserções, que, esporadicamente, encarnados saídos ilesos de grandes perigos, como acidentes e suicídios frustrados, relatam semelhante fenômeno de revisão das próprias experiências, também chamado visão panorâmica e síntese mental.

Lei de Causa e Efeito – Encetando, pois, a sua iniciação no Plano Espiritual, de consciência desperta e responsável, o homem começa a penetrar na essência da Lei de Causa e Efeito, encontrando em si mesmo os resultados enobrecedores ou deprimentes das próprias ações.

1.12.8 Quando dilacerado e desditoso, grita a própria aflição, ao longo dos largos continentes do espaço cósmico, reunindo-se a outros culpados do mesmo jaez, com os quais permuta os quadros inquietantes da imaginação em desvario, tecendo, com o plasma sutil do pensamento contínuo e atormentado, as telas infernais em que as consequências de suas faltas se desenvolvem, mediante as profundas e estranhas fecundações de loucura e sofrimento que antecedem as reencarnações reparadoras; contudo, é também aí que começa, sobrepairando o Inferno e o purgatório do remorso e da crueldade, da rebelião e da delinquência, o sublime apostolado dos seres que se colocam em harmonia com as Leis Divinas, almas elevadas e heroicas que, agrupando-se intimamente, tocadas de compaixão pelos laços que deixaram no mundo físico, iniciam, com a inspiração das potências angélicas, o serviço de abnegação e renúncia com que a glória e a divindade do amor edificam o império do Sumo Bem, no chamado Céu, de onde vertem mais ampla luz sobre a noite dos homens.

Pedro Leopoldo, 9-3-1958.

13
Alma e fluidos

Fluidos em geral – A consciência que aprendera a realizar complexas transubstanciações de força nas diversas linhas da Natureza, adaptando-se aos continentes da esfera extrafísica, passa a manobrar com os fenômenos de mentação e reflexão, de que o pensamento é a base fundamental. 1.13.1

Definimos o fluido, dessa ou daquela procedência, como um corpo cujas moléculas cedem invariavelmente à mínima pressão, movendo-se entre si, quando retidas por um agente de contenção, ou separando-se, quando entregues a si mesmas.

Temos, assim, os fluidos líquidos, elásticos ou aeriformes e os outrora chamados fluidos imponderáveis, tidos como agentes dos fenômenos luminosos, caloríficos e outros mais.

Fluido vivo – No Plano Espiritual, o homem desencarnado vai lidar mais diretamente com um fluido vivo e multiforme, estuante e inestancável, a nascer-lhe da própria alma, uma vez que podemos defini-lo, até certo ponto, por subproduto do Fluido Cósmico, absorvido pela mente humana em processo vitalista semelhante à respiração, pelo qual a criatura assimila a força emanante do Criador, esparsa em todo o cosmo, transubstanciando-a, sob a própria responsabilidade, para influenciar na Criação, a partir de si mesma.

1.13.2   Esse fluido é o seu próprio pensamento contínuo, gerando potenciais energéticos com que não havia sonhado.

Decerto que na esfera nova de ação, a que se vê arrebatado pela morte, encontra a matéria conhecida no mundo, em nova escala vibratória.

Elementos atômicos mais complicados e sutis, aquém do hidrogênio e além do urânio, em forma diversa daquela em que se caracterizam na gleba planetária, engrandecem-lhe a série estequiogenética.

O solo do Mundo Espiritual, estruturado com semelhantes recursos, todos eles raiando na quintessência, corresponde ao peso específico do Espírito, e, detendo possibilidades e riquezas virtuais, espera por ele a fim de povoar-se de glória e beleza, porquanto, se o plano terrestre é o seio tépido da vida em que o princípio inteligente deve nascer, medrar, florir e amadurecer em energia consciente, o Plano Espiritual é a escola em que a alma se aperfeiçoará em trabalho de frutescência antes que possa desferir mais amplos voos no rumo da Luz Eterna.

Vida na Espiritualidade – Na moradia de continuidade para a qual se transfere, encontra, pois, o homem as mesmas leis de gravitação que controlam a Terra, com os dias e as noites marcando a conta do tempo, embora os rigores das estações estejam suprimidos pelos fatores de ambiente que asseguram a harmonia da Natureza, estabelecendo clima quase constante e quase uniforme, como se os equinócios e solstícios entrelaçassem as próprias forças, retificando automaticamente os excessos de influenciação com que se dividem.

Plantas e animais domesticados pela inteligência humana, durante milênios, podem ser aí aclimatados e aprimorados, por determinados períodos de existência, ao fim dos quais regressam aos seus núcleos de origem no solo terrestre, para que avancem na romagem evolutiva, compensados com valiosas aquisições de acrisolamento, pelas quais auxiliam a flora e a fauna habituais à Terra, com os benefícios das chamadas mutações espontâneas.

As plantas, pela configuração celular mais simples, atendem, no Plano Extrafísico, à reprodução limitada, aí deixando descendentes que, mais tarde, volvem também à leira do homem comum, favorecendo, porém, de maneira espontânea, a solução de diferentes problemas que lhes dizem respeito, sem exigir maior sacrifício dos habitantes em sua conservação. 1.13.3

Ao longo dessas vastíssimas regiões de matéria sutil que circundam o corpo ciclópico do planeta, com extensas zonas cavitárias, sob linhas que lhes demarcam o início de aproveitamento, qual se observa na crosta da própria Terra, a estender-se da superfície continental até o leito dos oceanos, começam as povoações felizes e menos felizes, tanto quanto as aglomerações infernais de criaturas desencarnadas que, por temerem as formações dos próprios pensamentos, se refugiam nas sombras, receando ou detestando a presença da luz.

Esferas espirituais – Muitos comunicantes da vida espiritual têm afirmado, em diversos países, que o plano imediato à residência dos homens jaz subdividido em várias esferas. Assim é com efeito, não do ponto de vista do espaço, mas sim sob o prisma de condições, qual ocorre no globo de matéria mais densa, cujo dorso o homem pisa orgulhosamente.

Para justificar a nossa asserção, lembraremos, em rápida síntese, que a crosta terrestre, na maior parte dos elementos que a constituem, é sólida, mas conservando, aqui e ali, vastas cavidades repletas de líquido quente ou de material plástico.

Guarda o orbe grande núcleo no seio, e que podemos considerar como se fosse plasmado num aço de níquel natural, revestido por grossa camada de rocha basáltica, medindo dois mil quilômetros, aproximadamente, de raio, no tope da qual, ali e acolá, surgem finas superfícies de rocha granítica, entre as quais a face basáltica está recoberta de água. Mais ou menos nessa superfície, reside a zona mais apropriada para indicar o limite do solo que é, consequentemente, o leito do oceano.

1.13.4   Temos, desse modo, os continentes do mundo como ligeira película, com a propriedade de flutuar, à maneira de barcaças imensas, sobre o maciço basáltico, película essa que mantém a espessura de cinquenta quilômetros em média.

Encontramos, assim, na constituição natural do planeta, desde a barisfera à ionosfera, múltiplos círculos de força e atividade na terra, na água e no ar, tanto quanto nos continentes identificamos as esferas de civilização e nas civilizações as esferas de classe, a se totalizarem numa só faixa do espaço.

Centros encefálicos – É, pois, em novo plano, a dividir-se em variados setores de ação e de luta, que a consciência desencarnada, agora relativamente responsável, vai conhecer o resultado de suas próprias criações na passagem pelo campo carnal, através dos reflexos respectivos em seu pensamento — o fluido em que se lhe imprimem os mais íntimos sentimentos e que lhe define os mais íntimos desejos.

Com a supervisão dos orientadores divinos, associaram-se-lhe no cérebro o centro coronário e o centro cerebral em movimento sincrônico de trabalho e sintonia.

Por intermédio do primeiro, a mente administra o seu veículo de exteriorização, utilizando-se, a rigor, do segundo, que lhe recolhe os estímulos, transmitindo impulsos e avisos, ordens e sugestões mentais aos órgãos e tecidos, células e implementos do corpo por que se expressa.

E assim como o centro cerebral se representa no córtex encefálico por vários núcleos de comando, controlando sensações e impressões do mundo sensório, o centro coronário, por intermédio de todo um conjunto de núcleos do diencéfalo, possui no tálamo, para onde confluem todas as vias aferentes à cortiça cerebral, com exceção da via do olfato, que é a única via sensitiva de ligações corticais que não passa por ele,[18] vasto sistema de governança do espírito. Aí, nessa delicada rede de forças, através dos núcleos intercalados nas vias aferentes, através do sistema talâmico de projeção difusa e dos núcleos parcialmente abordados pela ciência da Terra (quais os da linha média, que não se degeneram após a extirpação do córtex, segundo experiências conhecidas), verte o pensamento ou fluido mental, por secreção sutil não do cérebro, mas da mente, fluido que influencia primeiro, por intermédio de impulsos repetidos, toda a região cortical e as zonas psicossomatossensitivas, vitalizando e dirigindo todo o cosmo biológico, para, em seguida, atendendo ao próprio continuísmo de seu fluxo incessante, espalhar-se em torno do corpo físico da individualidade consciente e responsável pelo tipo, qualidade e aplicação do fluido, organizando-lhe a psicosfera ou halo psíquico, qual ocorre com a chama de uma vela que, valendo-se do combustível que a nutre, estabelece o campo em que se lhe prevalece a influência.

Esse fluido ou matéria mental tem a sua ponderabilidade e as suas propriedades quimioeletromagnéticas específicas, definindo-se em unidades perfeitamente mensuráveis, qual acontece no sistema periódico dos elementos químicos, no plano terrestre, compreendendo-se que, em círculos da inteligência mais evoluída, surpreendentes combinações dos fatores conhecidos podem ser efetuadas com vistas a certos fins, como sucede atualmente na Terra, onde elementos como o netúnio, o plutônio, o amerício e o cúrio podem ser artificialmente produzidos.

1.13.5

---

[18] Nota do autor espiritual: Devemos esclarecer que a via olfatória não passa pelo tálamo; contudo, mantém conexões com alguns núcleos talâmicos por meio de fibras provenientes do corpo mamilar, situado no hipotálamo.

1.13.6   **Reflexão das ideias** – A partícula de pensamento, pois, como corpúsculo fluídico, tanto quanto o átomo, é uma unidade na essência, a subdividir-se, porém, em diversos tipos, conforme a quantidade, qualidade, comportamento e trajetórias dos componentes que a integram.

E assim como o átomo é uma força viva e poderosa na própria contextura, passiva, entretanto, diante da inteligência que a mobiliza para o bem ou para o mal, a partícula de pensamento, embora viva e poderosa na composição em que se derrama do espírito que a produz, é igualmente passiva perante o sentimento que lhe dá forma e Natureza para o bem ou para o mal, convertendo-se, por acumulação, em fluido gravitante ou libertador, ácido ou balsâmico, doce ou amargo, alimentício ou esgotante, vivificador ou mortífero, segundo a força do sentimento que o tipifica e configura, nomeável, à falta de terminologia equivalente, como "raio da emoção" ou "raio do desejo", força essa que lhe opera a diferenciação de massa e trajeto, impacto e estrutura.

Com o fluido mental carreiam-se, desse modo, não apenas as disposições mentossensitivas das criaturas em atuação recíproca, mas também as imagens que transitam entre os cérebros que se afinam pela reflexão natural e incessante, estabelecendo-se as ideações progressivas que, originariamente vertidas dos Espíritos superiores, transmitem aos desencarnados da Terra as noções de civilização mais apurada. E por essas mesmas entidades, em contato com as tribos encarnadas do paleolítico, semelhantes noções descem para o chão planetário, disciplinando as criaturas e ofertando-lhes novos horizontes à visão e ao entendimento.

Pela reflexão das ideias, surge, assim, entre as duas esferas entranhado circuito de forças.

Inteligência artesanal – O plano físico é o berço da evolução que o Plano Extrafísico aprimora.

O primeiro insufla o sopro da vida, cujas edificações o se- 1.13.7
gundo aperfeiçoa.

A reencarnação multiplica as experiências, somando-as pouco a pouco.

A desencarnação subtrai-lhes lentamente as parcelas inúteis ao progresso do Espírito e divide os remanescentes, definindo os resultados com que o Espírito se encontra enobrecido ou endividado perante a Lei.

Consolidada a incessante eclosão do fluido mental entre as duas esferas, começa para o homem novo ciclo de cultura.

Em verdade, a mente da era paleolítica mostra-se, ainda, limitada, nascitura, mas não tanto que não possa absorver, mesmo em baixa dosagem, as ideias renovadoras que lhe são sugeridas no Plano Superior.

Em razão disso, pela reflexão possível, aparece entre os homens, mal saídos da selva, a inteligência artesanal, instalando no mundo a indústria elementar do utensílio.

Por ela, o habitante do império verde encontra meios de efetuar com mais segurança velhos atos instintivos, utilizando o varapau para alongar o braço na colheita dos frutos dificilmente acessíveis, fabricando anzóis e arpões que lhe substituam os dedos na profundez das águas, burilando o sílex que lhe veicule a energia dos punhos e plasmando a roda que lhe poupe, de alguma sorte, o sacrifício dos pés.

Plasma criador da mente – É pelo fluido mental com qualidades magnéticas de indução que o progresso se faz notavelmente acelerado.

Pela troca dos pensamentos de cultura e beleza, em dinâmica expansão, os grandes princípios da Religião e da Ciência, da virtude e da educação, da indústria e da Arte descem das esferas sublimes e impressionam a mente do homem, traçando-lhe profunda renovação ao corpo espiritual, a refletir-se no veículo físico que, gradativamente, se acomoda a novos hábitos.

1.13.8 Épocas imensas despendera o princípio inteligente para edificar os prodígios da sensação e do automatismo, do instinto e da inteligência rudimentar; entretanto, com a difusão do plasma criador oriundo da mente, em circuitos contínuos, consolida-se a reflexão avançada entre o Céu e a Terra, e os fluidos mentais ou pensamentos atuantes, no reino da alma, imprimem radicais transformações no veículo fisiopsicossomático, associando e desassociando civilizações numerosas para construí-las de novo, em que o homem, herdeiro da animalidade instintiva, continua, até hoje, no trabalho progressivo de sua própria elevação aos verdadeiros atributos da Humanidade.

Uberaba, 12-3-1958.

14
Simbiose espiritual

Sustento do princípio inteligente – O princípio inteligen- 1.14.1
te, que exercitara a projeção de impulsos mentais fragmentários
para nutrir-se durante largas eras, alçado ao Plano Espiritual, na
condição de consciência humana desencarnada, começa a plasmar novos meios de exteriorização em favor do sustento próprio.

No mundo das plantas, com o parênquima clorofiliano, aprendeu a decifrar os segredos da fotossíntese, absorvendo a energia luminosa para elaborar as matérias orgânicas e lançando de si os elementos químicos essenciais, por meio da respiração, com que assegura o equilíbrio da atmosfera.

No domínio de certas bactérias, inteirou-se dos processos da quimiossíntese, aproveitando a energia química haurida na oxidação de corpos minerais.

Entre os seres superiores, consagrou-se à biossíntese, em novo câmbio de substâncias nos vários períodos da experiência física, para garantir a segurança própria, sob o ponto de vista material e energético.

1.14.2   Habituado aos fenômenos do anabolismo, na incorporação dos elementos de que se nutre, e do catabolismo, na desassimilação respectiva, automatiza-se-lhe a existência, em metamorfose contínua das forças que lhe alcançam a máquina fisiológica, por meio dos alimentos necessários à restauração constante das células e ao equilíbrio dos reguladores orgânicos.

Início da "mentossíntese" – Erguido, porém, à geração do pensamento ininterrupto, altera-se-lhe, na individualidade, o modo particular de ser.

O princípio inteligente inicia-se, desde então, nas operações que classificaremos como de "mentossíntese", porque baseadas na troca de fluidos mentais multiformes, por meio dos quais emite as próprias ideias e radiações, assimilando as radiações e ideias alheias.

O impulso que lhe surgia na mente embrionária, por interesse acidental de posse, ante a necessidade de alimento esporádico, é agora desejo consciente. E, sobretudo, o anseio genésico instintivo que se lhe sobrepunha à vida normal, em períodos certos, converteu-se em atração afetiva constante.

Aparece, assim, a sede de satisfação invariável como estímulo à experiência e prefigura-se-lhe na alma a excelsitude do amor encravado no egoísmo, como o diamante em formação no carbono obscuro.

A morte física interrompe-lhe as construções no terreno da propriedade e do afeto e a criatura humana, a iniciar-se no pensamento contínuo, sente-se quebrada e aflita cada vez que se desvencilha do corpo carnal adulto.

A liberação da veste densa impõe-lhe novas condições vibratórias, como que obrigando-o à ocultação temporária entre os seus para que se lhe revitalizem as experiências, qual ocorre à planta necessitada de poda para exaltar-se em renovação do próprio valor.

Épocas numerosas são empregadas para que o homem senhoreie o corpo espiritual, nos círculos da consciência mais ampla, porque, como deve compreender por si o caminho em que se conduzirá para a glória divina, cabe-lhe também debitar a si mesmo os bens e os males, as alegrias e as dores da caminhada.   1.14.3

Arrebatado aos que mais ama e ainda incapaz de entender a transformação da paisagem doméstica de que foi alijado, revolta--se comumente contra as novas lições da vida a que é convocado, em plano diferente, e permanece fluidicamente algemado aos que se lhe afinam com o sangue e com os desejos, comungando-lhes a experiência vulgar.

Nesse sentido, será, pois, razoável recordar que em seu recuado pretérito aprendeu, automaticamente, a respirar e a viver justaposto ao hausto e ao calor alheios.

Simbiose útil – Revisemos, assim, a simbiose entre os vegetais, como, por exemplo, a que existe entre o cogumelo e a alga, na esfera dos liquens, em que as hifas ou filamentos dos cogumelos se intrometem nas gonídias ou células das algas e projetam-lhes no interior certos apêndices, equivalendo a complicados haustórios, efetuando a sucção das matérias orgânicas que a alga elabora por intermédio da fotossíntese.

O cogumelo empalma-lhe a existência; todavia, em compensação, a alga se revela protegida por ele contra a perda de água, e dele recolhe, por absorção permanente, água, sais minerais, gás carbônico e elementos azotados, motivo pelo qual os liquens conseguem superar as maiores dificuldades do meio.

Entretanto, o processo de semelhante associação pode estender-se em ocorrências completamente novas. É que se dois liquens, estruturados por diferentes cogumelos, se encontram, podem viver, um ao lado do outro, com talo comum, pelo fenômeno da parabiose ou união natural de indivíduos vivos.

1.14.4   Dessa maneira, a mesma alga pode produzir liquens diversos com cogumelos variados, podendo também suceder que um líquen se transfigure de aspecto, quando uma espécie micológica se sucede à outra.

     Julgava-se antigamente, na botânica terrestre, que os liquens participassem do grupo das criptogâmicas, mas Schwendener[19] incumbiu-se de salientar-lhes a existência complexa, e Bonnier[20] e Bornet,[21] mais tarde, chamaram a si a obrigação de positivar-lhes a simbiose, experimentando a cultura independente de ambos os elementos integrantes, cultura essa que, iniciada no século findo, somente nos tempos últimos logrou pleno êxito, evidenciando, porém, que a vida desses mesmos componentes, sem o ajuste da simbiose, é indiscutivelmente frágil e precária.

     Outro exemplo de agregação da mesma Natureza vamos encontrar em certas plantas leguminosas que guardam os seus tubérculos nas raízes, cujas nodosidades albergam determinadas bactérias do solo que realizam a assimilação do azoto atmosférico, processo esse pelo qual essas plantas se fazem preciosas à gleba, devolvendo-lhe o azoto despendido em serviço.

     Simbiose exploradora – Contudo, além desses fenômenos em que a simbiose é simples e útil, temos as ocorrências desagradáveis, como sejam as micorrizas das orquidáceas, em que o cogumelo comparece como invasor da raiz da planta, caso esse em que a planta assume atitude anormal para adaptar-se, de algum modo, às disposições do assaltante, encontrando, por vezes, a morte, quando persiste esse ou aquele excesso no conflito para a combinação necessária.

---

[19] N.E.: Simon Schwendener (1829–1919), botânico suíço.

[20] N.E.: Gaston Bonnier (1853–1922), botânico francês.

[21] N.E.: Jean-Baptiste Bornet (1828–1911), botânico francês.

Nesse acontecimento, como assinalou Caullery,²² com jus- 1.14.5
teza de conceituação, tal simbiose deve ser capitulada na patologia comum, por enquadrar-se perfeitamente ao parasitismo.

Identificaremos, ainda, a simbiose entre algas e animais, em que as algas se alojam no plasma das células que atacam, como acontece a protozoários e esponjas, turbelários e moluscos, nos quais se implantam seguras.

Simbiose das mentes – Semelhantes processos de associação aparecem largamente empregados pela mente desencarnada, ainda tateante, na existência Além-Túmulo.

Amedrontada perante o desconhecido, que não consegue arrostar de pronto, vale-se da receptividade dos que lhe choram a perda e demora-se colada aos que mais ama.

E qual cogumelo que projeta para dentro dos tecidos da alga dominadores apêndices, com os quais lhe suga grande parte dos elementos orgânicos por ela própria assimilados, o Espírito desenfaixado da veste física lança habitualmente, para a intimidade dos tecidos fisiopsicossomáticos daqueles que o asilam, as emanações do seu corpo espiritual, como radículas alongadas ou sutis alavancas de força, subtraindo-lhes a vitalidade, elaborada por eles nos processos da biossíntese, sustentando-se, por vezes, largo tempo, nessa permuta viva de forças.

Qual se verifica entre a alga e o cogumelo, a mente encarnada entrega-se, inconscientemente, ao desencarnado que lhe controla a existência, sofrendo-lhe temporariamente o domínio até certo ponto, mas, em troca, em face da sensibilidade excessiva de que se reveste, passa a viver, enquanto perdure semelhante influência, necessariamente protegida contra o assalto de forças ocultas ainda mais deprimentes. Por esse motivo, ainda agora, em plena atualidade, encontramos os problemas da mediunidade

---

²² N.E.: Maurice Caullery (1868–1958), zoólogo francês.

evidente, ou da irreconhecida, destacando, a cada passo, inteligências nobres intimamente aprisionadas a cultos estranhos, em matéria de fé, as quais padecem a intromissão de ideias de terror, ante a perspectiva de se afastarem das entidades familiares que lhes dominam a mente por meio de palavras ou símbolos mágicos, com vistas a falaciosas vantagens materiais. Essas inteligências fogem deliberadamente ao estudo que as libertaria do *cativeiro interior*, quando não se mostram apáticas, em perigosos processos de fanatismo, inofensivas e humildes, mas arredadas do progresso que lhes garantiria a renovação.

1.14.6 **Histeria e psiconeurose** – Entretanto, as simbioses dessa espécie, em que tantas existências respiram em reciprocidade de furto psíquico, não se limitam aos fenômenos desse teor, nos quais Espíritos desencarnados, estanques em determinadas concepções religiosas, anestesiam ou infantilizam temporariamente consciências menos aptas ao autocontrole, porquanto se expressam igualmente nas moléstias nervosas complexas, como a histerepilepsia, em que o paciente sofre o espasmo tônico em opistótono, acompanhado de convulsões clônicas de feição múltipla, às vezes sem qualquer perda de consciência, equivalendo a transe mediúnico autêntico, no qual a personalidade invisível se aproveita dos estados emotivos mais intensos para acentuar a própria influenciação.

E, na mesma trilha de ajustamento simbiótico, somos defrontados na Terra, aqui e ali, pela presença de psiconeuróticos da mais extensa classificação, com diagnose extremamente difícil, entregues aos mais obscuros quadros mentais, sem se arrojarem à loucura completa.

Tais entidades imanizadas ao painel fisiológico e agregadas a ele sem o corpo de matéria mais densa vivem assim, quase sempre por tempo longo, entrosadas psiquicamente aos seus hospedadores, porquanto o Espírito humano desencarnado, erguido a novo estado de consciência, começa a elaborar recursos magnéticos diferenciados, condizentes com os impositivos da própria sustentação, tanto quanto, no corpo terrestre, aprendeu a criar, por automatismo, as enzimas e os hormônios que lhe asseguravam o equilíbrio biológico, e, impressionando o paciente que explora, muita vez com a melhor intenção, subjuga-lhe o campo mental, impondo-lhe ao centro coronário a substância dos próprios pensamentos que a vítima passa a acolher qual se fossem os seus próprios. Assim, em perfeita simbiose, refletem-se mutuamente, estacionários ambos no tempo, até que as leis da vida lhes reclamem, pela dificuldade ou pela dor, a alteração imprescindível.

Outros processos simbióticos – De outras vezes, o desencarnado que teme as experiências do Mundo Espiritual ou que insiste em prender-se por egoísmo aos que jazem na retaguarda, se possui inteligência mais vasta que a do hospedeiro, inspira-lhe atividade progressiva que resulta em benefício do meio a que se vincula, tal como sucede com a bactéria nitrificadora na raiz da leguminosa. 1.14.7

Noutras circunstâncias, porém, efetua-se a simbiose em condições infelizes, nas quais o desencarnado permanece eivado de ódio ou perversidade enfermiça ao pé das próprias vítimas, inoculando-lhes fluidos letais, seja copiando a ação do cogumelo que se faz verdugo da orquídea, impulsionando-a a situações anormais, quando não lhe impõe lentamente a morte, seja reproduzindo a atitude das algas invasoras no corpo dos anelídeos, conduzindo-os a longas perturbações, fenômenos esses, no entanto, que capitularemos, com apontamentos breves, acerca do vampirismo, como responsável por vários distúrbios do corpo espiritual a se estamparem no corpo físico.

Ancianidade da simbiose espiritual – Justo, assim, registrar que a simbiose espiritual permanece entre os homens, desde as eras mais remotas, em multifários processos de mediunismo consciente ou inconsciente, pelos quais os chamados "mortos", traumatizados ou ignorantes, fracos ou indecisos, se aglutinam, em grande parte, ao *habitat* dos chamados "vivos", partilhando-lhes a existência, a absorver-lhes parcialmente a vitalidade, até que os próprios Espíritos encarnados, com a força do seu próprio trabalho, no estudo edificante e nas virtudes vividas, lhes ofereçam material para mais amplas meditações, pelas quais se habilitem à necessária transformação com que se adaptem a novos caminhos e aceitem encargos novos, à frente da evolução deles mesmos, no rumo de esferas mais elevadas.

Pedro Leopoldo, 16-3-1958.

15
Vampirismo espiritual

Parasitismo nos reinos inferiores – Comentando as ocorrências da obsessão e do vampirismo no veículo fisiopsicossomático, é importante lembrar os fenômenos do parasitismo nos reinos inferiores da Natureza.   1.15.1

Sem nos reportarmos às simbioses fisiológicas, em que micro-organismos se albergam no trato intestinal dos seus hospedadores, apropriando-se-lhes dos sucos nutritivos, mas gerando substâncias úteis à existência dos anfitriões, encontraremos a associação parasitária, no domínio dos animais, à maneira de uma sociedade na qual uma das partes, quase sempre após insinuar-se com astúcia, criou para si mesma vantagens especiais, com manifesto prejuízo para a outra, que passa, em seguida, à condição de vítima.

Em semelhante desequilíbrio, as vítimas se acomodam, por tempo indeterminado, à pressão externa dos verdugos; contudo, em outras eventualidades, sofrem-lhes a intromissão direta na intimidade dos próprios tecidos, em ocupação impertinente que, às vezes, se degenera em conflito destruidor e, na maioria dos casos, se transforma num acordo de tolerância, por necessidade de adaptação, perdurando até a morte dos hospedeiros espoliados, chegando mesmo a originar os remanescentes das agregações imensamente demoradas no tempo, interferindo nos princípios da hereditariedade, como raízes do conquistador, a se entranharem nas células que lhes padecem a invasão nos componentes protoplasmáticos, para além da geração em que o consórcio parasitário começa.

1.15.2   Em razão disso, apreciando a situação dos parasitas perante os hospedadores, temo-los por ectoparasitas, quando limitam a própria ação às zonas de superfície, e endoparasitas, quando se alojam nas reentrâncias do corpo a que se impõem.

Não será lícito esquecer, porém, que toda simbiose exploradora de longo curso, principalmente a que se verifica no campo interno, resulta de adaptação progressiva entre o hospedador e o parasita, os quais, não obstante reagindo um sobre o outro, lentamente concordam na sociedade em que persistem, sem que o hospedador considere os riscos e perdas a que se expõe, comprometendo não apenas a própria vida, mas a existência da própria espécie.

Transformações dos parasitas – Temos, assim, na larga escala dos acontecimentos dessa ordem, os parasitas temporários, quais as sanguessugas e quase todos os insetos hematófagos, que apenas transitoriamente visitam os hospedadores; os ocasionais ou os pseudoparasitas, que sistematicamente não são parasitas, mas que vampirizam outros animais, quando as situações do ambiente a isso os conduzam; os permanentes de desenvolvimento direto, que dispõem de um hospedador exclusivo e a cuja existência se encontram ajustados por laços indissolúveis, quase todos relacionáveis entre os endoparasitas; os parasitas chamados heteroxênicos, que se fazem adultos, em ciclo biológico determinado, contando com um ou mais hospedeiros intermediários, quando se encontram em período larval, para atingirem a forma completa no hospedeiro definitivo; os hiperparasitas, que são parasitas de outros parasitas.

Concluindo-se que o parasitismo entre os animais não decorre de uma condição natural, mas de uma autêntica adaptação deles a modo particular de comportamento, é justo admitir se inclinem para novos característicos na espécie. 1.15.3

Assim é que o parasita, no regime de adaptação a que se entrega, experimenta mutações de vulto a se lhe exprimirem na forma, por reduções ou acentuações orgânicas, compreendendo-se, desse modo, que o desaparecimento de certos órgãos de locomoção em parasitas fixados e a consequente formação de órgãos necessários à estabilidade em que se harmonizam devem ser analisados como fenômenos inerentes à simbiose injuriante, notando-se nesses seres a facilidade de fecundação e a resistência vital, com a extrema capacidade de encistamento, pela qual segregam recursos protetores e se isolam dos fatores adversos do meio, como o frio ou o calor, tolerando vastos períodos de abstenção de qualquer alimento, a exemplo do que ocorre com o percevejo do leito, que consegue viver, mais de seis meses consecutivos, em completo jejum.

Continuando a examinar as alterações nos parasitas em atividade, assinalamos muitos platelmintos e anelídeos que, em virtude do parasitismo, perderam os apêndices locomotores, substituindo-os por ventosas ou ganchos.

Identificamos a degeneração do aparelho digestivo em vários endoparasitas do campo intestinal e, por vezes, a total extinção desse aparelho, como acontece a muitos cestoides e acantocéfalos que, vivendo, de maneira invariável, na corrente abundante de sucos nutritivos já elaborados no intestino de seus hospedadores, convertem os órgãos bucais em órgãos de fixação, prescindindo de sistema intestinal próprio, uma vez que passam a realizar a nutrição respectiva por osmose, utilizando toda a superfície do corpo.

1.15.4   De outras vezes, quando o parasita costuma ingerir grande massa de sangue, demonstra desenvolvimento anormal do intestino médio, que se transforma em bolsa volumosa a funcionar por depósito de reserva, onde a assimilação se opera vagarosa, para que esses animais, como sejam as sanguessugas e os mosquitos, se sobreponham a longos jejuns eventuais.

Transformações dos hospedeiros – Todavia, se os parasitas podem acusar expressivas transformações, em face do novo regime de existência a que se afeiçoam, os resultados de tais associações sobre o hospedeiro são mais profundos, porque os assaltantes, depois de instalados, se multiplicam, ameaçadores, estabelecendo espoliações sobre as províncias orgânicas da vítima, sugando-lhe a vitalidade, traumatizando-lhe os tecidos, provocando lesões parciais ou totais ou estendendo ações tóxicas, como a exaltação febril nas infecções, com que, algumas vezes, lhe apressam a morte.

Nessa movimentação perniciosa ou letal, conseguem irritar as células ou destruí-las, obstruir cavidades, seja nos intestinos ou nos vasos, embaraçar funções e obliterar glândulas importantes, quais as glândulas genitais, que podem levar até a castração, embora os recursos defensivos do hospedeiro sejam postos em evidência, criando exércitos celulares de combate às infestações, expulsando os invasores por via comum ou neutralizando-lhes a penetração pelas membranas fibrosas que os envolvem, encistando-os a princípio, para aniquilá-los, depois, em pequeninos invólucros calcificados, no interior dos tecidos.

E lembrando os efeitos de certos parasitas heteroxênicos, que se desenvolvem no hospedeiro intermediário para alcançar a posição adulta no hospedeiro definitivo, bastará menção especial aos tripanossomas, que, em espécies várias, se multiplicam nos tecidos e líquidos orgânicos, traçando aflitivos problemas da parasitologia humana, em complicadas operações de transmissão, evolução e instalação no quadro fisiológico de suas vítimas. Vale citar, dentre eles, o *Trypanosoma cruzi*, que se hospeda habitualmente no intestino médio de um triatoma ou de outro reduviídeo, onde apresenta formas arredondadas em divisão para adquirir novamente a forma de tripanossoma no intestino posterior do hemíptero que, vivendo à custa de sangue, obtido por picada, vem a transmiti-lo, pelas fezes, ao organismo humano, no qual, geralmente, passa a residir, em forma endocelular, nos músculos, no sistema nervoso, na medula dos ossos ou na intimidade de tecidos outros, aí se difundindo, na medida das resistências que lhe ofereça o mundo orgânico, desempenhando o papel de carrasco microscópico a perseguir e aniquilar populações indefesas.

Obsessão e vampirismo – Em processos diferentes, mas atendendo aos mesmos princípios de simbiose prejudicial, encontramos os circuitos de obsessão e de vampirismo entre encarnados e desencarnados, desde as eras recuadas em que o espírito humano, iluminado pela razão, foi chamado pelos princípios da Lei Divina a renunciar ao egoísmo e à crueldade, à ignorância e ao crime. 1.15.5

Rebelando-se, no entanto, em grande maioria, contra as sagradas convocações, e livres para escolher o próprio caminho, as criaturas humanas desencarnadas, em alto número, começaram a oprimir os companheiros da retaguarda, disputando afeições e riquezas que ficavam na carne ou tentando empreitadas de vingança e delinquência, quando sofriam o processo liberatório da desencarnação em circunstâncias delituosas.

As vítimas de homicídio, violência, brutalidade manifesta ou perseguição disfarçada, fora do vaso físico, entram na faixa mental dos ofensores, conhecendo-lhes a enormidade das faltas ocultas, e, em vez do perdão, com que se exonerariam da cadeia de trevas, empenham-se em vinditas atrozes, retribuindo golpe a golpe e mal por mal.

1.15.6 Outros desencarnados, exigindo que Deus lhes providencie solução aos caprichos pueris e proclamando-se inabilitados para o resgate do preço devido à evolução que lhes é necessária, tornam-se madraços e gozadores, e, alegando a suposta impossibilidade de a Sabedoria Divina dirimir os padecimentos dos homens, pelos próprios homens criados, fogem, acovardados e preguiçosos, aos deveres e serviços que lhes competem.

"Infecções fluídicas" – Muitos acometem os adversários que ainda se entrosam no corpo terrestre, empolgando-lhes a imaginação com formas mentais monstruosas, operando perturbações que podemos classificar como *infecções fluídicas* e que determinam o colapso cerebral com arrasadora loucura.

E ainda muitos outros, imobilizados nas paixões egoísticas desse ou daquele teor, descansam em pesado monoideísmo, ao pé dos encarnados, de cuja presença não se sentem capazes de se afastar.

Alguns, como os ectoparasitas temporários, procedem à semelhança dos mosquitos e dos ácaros, absorvendo as emanações vitais dos encarnados que com eles se harmonizam aqui e ali, mas outros muitos, quais endoparasitas conscientes, após se inteirarem dos pontos vulneráveis de suas vítimas, segregam sobre elas determinados produtos, filiados ao quimismo do Espírito, e que podemos nomear como simpatinas e aglutininas mentais, produtos esses que, sub-repticiamente, lhes modificam a essência dos próprios pensamentos a verterem, contínuos, dos fulcros energéticos do tálamo, no diencéfalo.

Estabelecida essa operação de ajuste, que os desencarnados e encarnados, comprometidos em aviltamento mútuo, realizam em franco automatismo, à maneira dos animais em absoluto primitivismo nas linhas da Natureza, os verdugos comumente senhoreiam os neurônios do hipotálamo, acentuando a própria dominação sobre o feixe amielínico que o liga ao córtex frontal, controlando as estações sensíveis do centro coronário que aí se fixam para o governo das excitações, e produzem nas suas vítimas, quando contrariados em seus desígnios, inibições de funções viscerais diversas, mediante influência mecânica sobre o simpático e o parassimpático. Tais manobras, em processos intrincados de vampirismo, prestigiam o regime de medo ou de guerra nervosa nas criaturas de que se vingam, alterando-lhes a tela psíquica ou impondo prejuízos constantes aos tecidos somáticos.

"Parasitas ovoides" – Inúmeros infelizes, obstinados na 1.15.7 ideia de fazerem justiça pelas próprias mãos ou confiados a vicioso apego, quando desafivelados do carro físico, envolvem sutilmente aqueles que se lhes fazem objeto da calculada atenção e, auto-hipnotizados por imagens de afetividade ou desforço, infinitamente repetidas por eles próprios, acabam em deplorável fixação monoideística, fora das noções de espaço e tempo, acusando, passo a passo, enormes transformações na morfologia do veículo espiritual, porquanto, de órgãos psicossomáticos retraídos, por falta de função, assemelham-se a *ovoides*, vinculados às próprias vítimas que, de modo geral, lhes aceitam, mecanicamente, a influenciação, em face dos pensamentos de remorso ou arrependimento tardio, ódio voraz ou egoísmo exigente que alimentam no próprio cérebro, por meio de ondas mentais incessantes.

Nessas condições, o obsessor ou parasita espiritual pode ser comparado, de certo modo, à *Sacculina carcini*, que, provida de órgãos perfeitamente diferenciados na fase de vida livre, enraíza-se, depois, nos tecidos do crustáceo hospedador, perdendo as características morfológicas primitivas, para converter-se em massa celular parasitária.

No tocante à criatura humana, o obsessor passa a viver no clima pessoal da vítima, em perfeita simbiose mórbida, absorvendo-lhe as forças psíquicas, situação essa que, em muitos casos, se prolonga para além da morte física do hospedeiro, conforme a Natureza e a extensão dos compromissos morais entre credor e devedor.

1.15.8 **Parasitismo e reencarnação** – Nas ocorrências dessa ordem, quando a decomposição da vestimenta carnal não basta para consumar o resgate preciso, vítima e verdugo se equiparam na mesma gama de sentimentos e pensamentos, caindo, Além-Túmulo, em dolorosos painéis infernais, até que a Misericórdia Divina, por seus agentes vigilantes, após estudo minucioso dos crimes cometidos, pesando atenuantes e agravantes, promove a reencarnação daquele Espírito que, em primeiro lugar, mereça tal recurso.

E, executado o projeto de retorno do beneficiário, a regressar do Plano Espiritual para o plano terrestre, sofre a mulher, indicada por seus débitos à gravidez respectiva, o assédio de forças obscuras que, em muitas ocasiões, se lhe implantam no vaso genésico por simbiontes que influenciam o feto em gestação, estabelecendo-se, desde essa hora inicial da nova existência, ligações fluídicas por meio dos tecidos do corpo em formação, pelas quais a entidade que reencarna, a partir da infância, continua enlaçada ao companheiro ou aos companheiros menos felizes, que integram com ela toda uma equipe de almas culpadas em reajuste.

Desenvolve-se-lhe, então, a meninice, cresce, reinstrui-se e retorna à juvenilidade das energias físicas, padecendo, porém, a influência constante dos assediantes, até que, frequentemente por intermédio de uniões conjugais, em que a provação emoldura o amor, ou em circunstâncias difíceis do destino, lhes ofereça novo corpo na Terra, para que, como filhos de seu sangue e de seu coração, lhes devolva em moeda de renúncia os bens que lhes deve desde o passado próximo ou remoto.

Em tais fatos, vamos observar situações quase idênticas às que são provocadas pelos parasitas heteroxênicos, porquanto, se os adversários do Espírito reencarnado são em maior número, atuam, muitos deles, à feição dos tripanossomas, tomando os filhos de suas vítimas e afins deles próprios por hospedeiros intermediários das formas-pensamentos deploráveis que arremessam de si, alcançando, em seguida, a mente dos pais ou hospedeiros definitivos, a inocular-lhes perigosos fluidos sutis, com que lhes infernizam as almas, muitas vezes até à ocasião da própria morte.

Terapêutica do parasitismo da alma – Importa, no entanto, observar que todos os sofrimentos e corrigendas a que nos referimos estão conjugados para as consciências encarnadas ou não, dentro da Lei de Ação e Reação que a cada um confere hoje o equilíbrio ou o desequilíbrio, por suas obras de ontem, reconhecendo-se também que assim como existem medidas terapêuticas contra o parasitismo no mundo orgânico, qualquer criatura encontra, na aplicação viva do bem, eficiente remédio contra o parasitismo da alma. 1.15.9

Não bastará, porém, a palavra que ajuda e a oração que ilumina.

O hospedeiro de influências inquietantes que, por suas aflições na existência carnal, pode avaliar da qualidade e extensão das próprias dívidas precisará do próprio exemplo, no serviço do amor puro aos semelhantes, com educação e sublimação de si mesmo, porque só o exemplo é suficientemente forte para renovar e reajustar.

A ação do bem genuíno, com a quebra voluntária de nossos sentimentos inferiores, produz vigorosos fatores de transformação sobre aqueles que nos observam, notadamente naqueles que se nos agregam à existência, influenciando-nos a atmosfera espiritual, uma vez que as nossas demonstrações de fraternidade inspiram nos outros pensamentos edificantes e amigos que, em circuitos sucessivos ou contínuas ondulações de energia renovadora, modificam nos desafetos mais acirrados qualquer disposição hostil a nosso respeito.

1.15.10   Ninguém necessita, portanto, aguardar reencarnações futuras, entretecidas de dor e lágrimas, em ligações expiatórias, para diligenciar a paz com os inimigos trazidos do pretérito, porque, pelo devotamento ao próximo e pela humildade realmente praticada e sentida, é possível valorizar nossa frase e santificar nossa prece, atraindo simpatias valiosas, com intervenções providenciais, em nosso favor.

É que, reparando-nos transfigurados para o melhor, os nossos adversários igualmente se desarmam para o mal, compreendendo, por fim, que só o bem será, perante Deus, o nosso caminho de liberdade e vida.

Uberaba, 19-3-1958.

16
Mecanismos da mente

Alma e corpo – Aclarando os problemas complexos da 1.16.1
alienação mental na maioria dos Espíritos desencarnados,
pelo menos durante algum tempo além da morte, vale comentar, ainda que superficialmente, alguns dos experimentos efetuados pela ciência terrestre nos mecanismos nervosos para que possamos ajuizar da importância da harmonia entre a mente e o seu veículo fisiopsicossomático, no plano físico ou extrafísico.

Assemelhando-se no conjunto ao musicista e seu instrumento, alma e corpo hão de conjugar-se profundamente um com o outro para a execução do trabalho que a vida lhes reserva.

E, sabendo-se que a alma é direção e o corpo, obediência, é da Lei Divina que o homem receba em si mesmo o fruto da plantação que realizou, visto que, nos órgãos de sua manifestação, recolhe as maiores concessões do Criador para que efetive o seu aperfeiçoamento na Criação.

1.16.2   Assim sendo, de seu próprio comportamento retira, nos vastos setores em que se lhe processa a evolução, o bem ou o mal que, lançando ao caminho, estará impondo a si mesmo.

Secção da medula – Por meio de experimentação positiva, conhece a Ciência de hoje a inalienável correlação entre o cérebro e todas as províncias celulares do mundo corpóreo.

Tomando, pois, em nossas anotações, o sistema cerebral por gabinete administrativo da mente, reconheceremos sempre que a conduta do corpo físico está invariavelmente condicionada à conduta do corpo espiritual, como a orientação do corpo espiritual está submetida ao governo da nossa vontade.

Sabemos, assim, que depois de seccionada a medula de um paciente se observa, de imediato, a insensibilidade completa, o relaxamento muscular, a paralisia e a eliminação dos reflexos somáticos e viscerais em todas as partes que recebem os nervos nascidos abaixo do ponto em que se verificou o prejuízo.

A insensibilidade e a paralisia são decisivas, porquanto procedem da secção dos feixes ascendentes e do feixe piramidal, ou seja, do desligamento das regiões do corpo espiritual correspondentes nos tecidos orgânicos e no cérebro, qual se desse a retirada da força elétrica de determinado setor num campo extenso de ação.

Semelhante desligamento, porém, não se verifica de todo, o que acarretaria, quando em níveis altos, irreversivelmente, o processo liberatório da alma com a desencarnação. Junções fluídicas sutis permanecem ativas entre as células dos implementos físicos e espirituais, como recursos fisiopsicossomáticos, em ajustes possíveis de emergência. Em razão disso, não obstante a insensibilidade a que nos reportamos, comparável ao "silêncio orgânico" deixado pela execução de uma neurotomia, muitos pacientes se queixam de dor em zonas localizadas para baixo do nível em que se expressou o corte, fenômeno esse perfeitamente atribuível ao contato das células do corpo espiritual com as fibras aferentes que vibram na cadeia simpática, penetrando a medula, acima do ponto molestado.

Recuperação dos reflexos – Devido, ainda, a esse reajustamento organizado instintivamente entre a alma e o corpo, os reflexos são gradativamente recuperados. 1.16.3

Em condições muito especiais de equilíbrio fisiopsicossomático do enfermo, os reflexos superficiais ressurgem quase sempre em 24 horas, depois do insulto sofrido, embora os reflexos anal e cremasteriano jamais se percam, insulto esse em que o sinal de Babinski ou extensão dos pedartículos, principalmente do primeiro, não raro acompanhada por determinado grau de contração dos músculos do joelho, denuncia a violação do feixe piramidal, equivalente à ruptura de ligação das células do corpo espiritual nos implementos nervosos da veste física, assemelhando-se ao curto-circuito da energia elétrica nos condutores ininterruptos que lhe atendem à necessária circulação.

Na generalidade dos casos, porém, os reflexos em pacientes dessa espécie apenas reaparecem com mais vagar no curso de semanas, tempo indispensável para que as células do corpo espiritual, vencendo as resistências do corpo físico, a ele se reimponham quanto possível.

Importância da encefalização – Sabemos, igualmente, que a depressão em estudo é tanto mais perdurável quanto mais complexa a encefalização do animal.

Nos batráquios, os reflexos desaparecem apenas por alguns minutos. No gato, a diminuição da atividade vital é maior; no cão, ainda mais; no chimpanzé, o refazimento pede vários dias, e na criatura humana, a restauração dos reflexos referidos exige mais tempo, como, por exemplo, o reflexo de extensão cruzada, cuja recuperação reclama seis semanas, aproximadamente, após o trauma espinhal.

Nos estudos de Schiff e Sherrington,[23] avaliamos, com maior nitidez, a extensão da ocorrência entre os setores do corpo

---

[23] N.E.: Charles Scott Sherrington (1857–1952), fisiologista britânico, pesquisador do sistema nervoso.

espiritual e do corpo físico, mediante a secção completa da medula espinhal, realizada ao nível dos segmentos lombares, pela qual vemos o cão experimentado, com a medula dorsal seccionada, acusando paraplegia e alterações sensitivas consequentes, abaixo da região prejudicada, assim como uma extensão espástica dos membros anteriores devido à ausência da inibição oriunda dos membros posteriores, inibição que normalmente neutralizaria os impulsos do sistema labiríntico-cerebelar.

1.16.4 É que o corpo espiritual preside no campo físico a todas as atividades nervosas resultantes da entrosagem de sinergias funcionais diversas.

Disso temos estrita conta nos reflexos, cuja complexidade cresce invariavelmente na medida em que solicitam o concurso de maior campo dos neurônios internunciais para que se efetuem, qual pianista, requisitando maior número de escalas de tons e semitons para elevar-se da simplicidade à suntuosidade na expansão da melodia.

Descorticação animal – Desse modo, compreendendo-se que a integração *mente–corpo* é cada vez mais importante, à medida que se dilatam os valores da encefalização, reconheceremos que a integração cortical é sempre mais expressiva quão mais amplo se faz o desenvolvimento do sistema nervoso.

Na pauta de semelhante realidade, a descorticação em batráquios e peixes não interfere nos reflexos e na motilidade, e, nas aves, modificações emergem, inequívocas, porquanto apenas conseguem voos fragmentários na luz, permanecendo em prostração quando na obscuridade.

O cão que sofre a ablação do córtex, segundo já demonstrou Goltz, no século XIX, pode viver além de um ano com motilidade reflexa normal aparente, efetuando os movimentos próprios com relativa correção; todavia, jaz inerte quando lhe falte incentivo à ação e, se esse incentivo aparece, coloca-se em movimento exagerado; ignora como se defender até que se veja positivamente atacado; não se decide a buscar alimento, recebendo a ração que se lhe administre e, embora as funções viscerais prossigam sem maiores alterações, não reconhece as pessoas, baldo de memória, revelando a disjunção dos recursos fisiopsicossomáticos que lhe são peculiares, fenômeno pelo qual evidencia compreensível e aparente regressão a estágio evolutivo inferior.

Os chimpanzés, entretanto, com encefalização mais complexa, não sobrevivem largo tempo após a extirpação total do córtex, e, quando sofrem a destruição parcial desse ou daquele elemento cortical, apresentam, como acontece na criatura humana, modificações extensas e profundas. 1.16.5

Cabe mencionar, ainda aqui, a continuidade das indiscutíveis impressões em pessoas mutiladas, que prosseguem sentindo, integrados ao próprio corpo, esse ou aquele membro que, fisicamente, não mais existe.

Sincronia de estímulos – Entenderemos, assim, facilmente, que o córtex encefálico, com as suas delicadas divisões e subdivisões, governando os núcleos reguladores dos sentidos, dos movimentos, dos reflexos e de todas as manifestações nervosas da individualidade encarnada, corresponde à sede do centro cerebral do psicossoma (ou corpo espiritual) no corpo físico, unida à sede do centro coronário, localizada no diencéfalo, entrosando-se ambos em perfeita sincronia de estímulos, pelos quais se manifesta o Espírito em sua constituição mental, harmônica, difícil ou desequilibrada, segundo a posição em que ele mesmo valoriza, conserva, prejudica ou desordena os recursos que a Lei Divina lhe faculta à própria exteriorização no plano físico e no Plano Espiritual.

E assim como dispomos, no córtex, de ligações energéticas da consciência para os serviços do tato, da audição, da visão, do olfato, do gosto, da memória, da fala, da escrita e de automatismos diversos, possuímos no diencéfalo (tálamo e hipotálamo), a se irradiarem para o mesencéfalo, ligações energéticas semelhantes da consciência para os serviços da mesma Natureza, com acréscimos de atributos para enriquecimento e sublimação do campo sensorial, como sejam a reflexão, a atenção, a análise, o estudo, a meditação, o discernimento, a memória críptica, a compreensão, as virtudes morais e todas as fixações emotivas que nos sejam particulares.

1.16.6 Emitindo a onda de indagação e trabalho que nos diga respeito, por meio do centro coronário conjugado ao centro cerebral, recebemo-la de volta, em circuito de raios substanciais da nossa própria força mental, com impactos aferentes e eferentes, para que a nossa consciência, por si, ajuíze, pela essência dos resultados ou reflexos de nossas próprias ações, quanto ao acerto ou desacerto de nossa escolha, nessa ou naquela circunstância da vida.

Não podemos esquecer que cada núcleo das ligações a que nos reportamos se subdivide em peculiaridades diversas, entendendo-se, pois, que os fenômenos de obliteração suscetíveis de ocorrer em alguns dos setores corticais do corpo físico podem surgir igualmente no corpo espiritual, quando a turvação da mente é capaz de obstruir temporariamente esse ou aquele fulcro energético da região diencefálica, no centro coronário da entidade desencarnada.

Mecanismo do monoideísmo – Em vista disso, se a criatura encarnada pode cair em amnésia ou afasia pela oclusão dos núcleos da memória ou da fala, sem desequilíbrio integral da inteligência, a criatura desencarnada pode arrojar-se a frustrações semelhantes, sem perturbação total do pensamento, enquanto se lhe mantenha a distonia.

Segundo critério idêntico, se a habilidade de um homem para manobrar determinado idioma pode cessar numa das subdivisões do núcleo da fala, no córtex, persistindo a habilidade para lidar com idiomas outros, assim também o núcleo da visão profunda, no centro coronário, pode sofrer disfunção específica pela qual um Espírito desencarnado contemplará tão somente, por tempo equivalente à conturbação em que se encontre, os quadros terríficos que lhe digam respeito às culpas contraídas, sem capacidade para observar paisagens de outra espécie; escutará exclusivamente vozes acusadoras que lhe testemunhem os compromissos inconfessáveis, sem possibilidade de ouvir quaisquer outros valores sônicos, tanto quanto poderá recordar apenas acontecimentos que se lhe refiram aos padecimentos morais, com absoluto olvido de fatos outros, até mesmo daqueles que se relacionem com a sua personalidade, motivo pelo qual se fazem tão raros os processos de perfeita identificação individual, na generalidade das comunicações mediúnicas, com entidades dementadas ou sofredoras, comumente estacionárias no monoideísmo que as isola em tipos exclusivos de recordação ou emoção, uma vez que, nessas condições, o pensamento contínuo que lhes flui da mente, em circuito viciado sobre si mesmo, age coagulando ou materializando pesadelos fantásticos, em conexão com as lembranças que albergam.

E esses pesadelos não são realmente meras criações abstratas, porquanto, em fluxo constante, as imagens repetidas, formadas pelas partículas vivas de matéria mental, se articulam em quadros que obedecem também à vitalidade mais ou menos longa do pensamento, justapondo-se às criaturas desencarnadas que lhes dão a forma e que, congregando criações do mesmo teor, de outros Espíritos afins, estabelecem, por associações espontâneas, os painéis apavorantes em que a consciência culpada expia, por tempo justo, as consequências dos crimes a que se empenhou, prejudicando a harmonia das Leis Divinas e conturbando, concomitantemente, a si mesma. 1.16.7

Zonas purgatoriais – Obliterados os núcleos energéticos da alma, capazes de conduzi-la às sensações de euforia e elevação, entendimento e beleza, precipita-se a mente, pelo excesso da taxa de remorso nos fulcros da memória, na dor do arrependimento a que se encarcera por automatismo, conforme os princípios de responsabilidade a se lhe delinearem no ser, plasmando com os seus próprios pensamentos as telas temporárias, mas por vezes de longuíssima duração, em que contempla, incessantemente, por reflexão mecânica, o fruto amargo de suas próprias obras, até que esgote os resíduos das culpas esposadas ou receba caridosa intervenção dos agentes do amor divino, que, habitualmente, lhe oferecem o preparo adequado para a reencarnação necessária, pela qual retornará ao aprendizado prático das lições em que faliu.

1.16.8 É dessa forma que os suicidas, com agravantes à frente do Plano Espiritual, como também os delinquentes de variada categoria, padecem por largo tempo a influência constante das aflitivas criações mentais deles mesmos, a elas aprisionados pela fixação monoideica[24] de certos núcleos do corpo espiritual, em detrimento de outros que se mantêm malbaratados e oclusos.

E porque o pensamento é força criativa e aglutinante na criatura consciente em plena Criação, as imagens plasmadas pelo mal, à custa da energia inestancável que lhe constitui atributo inalienável e imanente, servem para a formação das paisagens regenerativas em que a alma alucinada pelos próprios remorsos é detida em sua marcha, ilhando-se nas consequências dos próprios delitos, em lugares que, retendo a associação de centenas e milhares de transviados, se transformam em verdadeiros continentes de angústia, filtros de aflição e de dor, em que a loucura ou a crueldade, juguladas pelo sofrimento que geram para si mesmas, se rendem lentamente ao raciocínio equilibrado, para a readmissão indispensável ao trabalho remissor.

Pedro Leopoldo, 23-3-1958.

---

[24] N.E.: Monoideísmo – estado psicológico em que prevalece uma única ideia ou uma só ordem de associação mental.

17
Mediunidade e corpo espiritual

Aura humana – Considerando-se toda célula em ação por unidade viva, qual motor microscópico, em conexão com a usina mental, é claramente compreensível que todas as agregações celulares emitam radiações e que essas radiações se articulem, por meio de sinergias funcionais, a se constituírem de recursos que podemos nomear por "tecidos de força", em torno dos corpos que as exteriorizam. 1.17.1

Todos os seres vivos, por isso, dos mais rudimentares aos mais complexos, se revestem de um "halo energético" que lhes corresponde à Natureza.

No homem, contudo, semelhante projeção surge profundamente enriquecida e modificada pelos fatores do pensamento contínuo que, ajustando-se às emanações do campo celular, lhe modelam, em derredor da personalidade, o conhecido corpo vital ou duplo etéreo de algumas escolas espiritualistas, duplicata mais ou menos radiante da criatura.

1.17.2   Nas reentrâncias e ligações sutis dessa túnica eletromagnética de que o homem se entraja, circula o pensamento, colorindo-a com as vibrações e imagens de que se constitui, aí exibindo, em primeira mão, as solicitações e os quadros que improvisa, antes de irradiá-los no rumo dos objetos e das metas que demanda.

Aí temos, nessa conjugação de forças físico-químicas e mentais, a aura humana, peculiar a cada indivíduo, interpenetrando-o, ao mesmo tempo que parece emergir dele, à maneira de campo ovoide, não obstante a feição irregular em que se configura, valendo por espelho sensível em que todos os estados da alma se estampam com sinais característicos e em que todas as ideias se evidenciam, plasmando telas vivas, quando perduram em vigor e semelhança como no cinematógrafo comum.

Fotosfera psíquica, entretecida em elementos dinâmicos, atende à cromática variada, segundo a onda mental que emitimos, retratando-nos todos os pensamentos em cores e imagens que nos respondem aos objetivos e escolhas, enobrecedores ou deprimentes.

Mediunidade inicial – A aura é, portanto, a nossa plataforma onipresente em toda comunicação com as rotas alheias, antecâmara do Espírito, em todas as nossas atividades de intercâmbio com a vida que nos rodeia, por meio da qual somos vistos e examinados pelas Inteligências superiores, sentidos e reconhecidos pelos nossos afins, e temidos e hostilizados ou amados e auxiliados pelos irmãos que caminham em posição inferior à nossa.

Isso porque exteriorizamos, de maneira invariável, o reflexo de nós mesmos, nos contatos de pensamento a pensamento, sem necessidade das palavras para as simpatias ou repulsões fundamentais.

É por essa couraça vibratória, espécie de carapaça fluídica, em que cada consciência constrói o seu ninho ideal, que começaram todos os serviços da mediunidade na Terra, considerando-se a mediunidade como atributo do homem encarnado para corresponder-se com os homens liberados do corpo físico.

1.17.3 Essa obra de permuta, no entanto, foi iniciada no mundo sem qualquer direção consciente, porque, pela natural apresentação da própria aura, os homens melhores atraíram para si os Espíritos humanos melhorados, cujo coração generoso se voltava, compadecido, para a esfera terrena, auxiliando os companheiros da retaguarda, e os homens rebeldes à Lei Divina aliciaram a companhia de entidades da mesma classe, transformando-se em pontos de contato entre o bem e o mal ou entre a luz e a sombra que se digladiam na própria Terra.

Pelas ondas de pensamento a se enovelarem umas sobre as outras, segundo a combinação de frequência e trajeto, Natureza e objetivo, encontraram-se as mentes semelhantes entre si, formando núcleos de progresso em que homens nobres assimilaram as correntes mentais dos Espíritos superiores, para gerar trabalho edificante e educativo, ou originando processos vários de simbiose em que almas estacionárias se enquistaram mutuamente, desafiando debalde os imperativos da evolução e estabelecendo obsessões lamentáveis, a se elastecerem sempre novas, nas teias do crime ou na etiologia complexa das enfermidades mentais.

A intuição foi, por esse motivo, o sistema inicial de intercâmbio, facilitando a comunhão das criaturas, mesmo a distância, para transfundi-las no trabalho sutil da telementação, nesse ou naquele domínio do sentimento e da ideia, por intermédio de remoinhos mensuráveis de força mental, assim como na atualidade o remoinho eletrônico infunde em aparelhos especiais a voz ou a figura de pessoas ausentes, em comunicação recíproca na radiotelefonia e na televisão.

Sono e desprendimento – Releva, contudo, assinalar que, em se iniciando a criatura na produção do pensamento contínuo, o sono adquiriu para ela uma importância que a consciência em processo evolutivo, até aí, não conhecera.

1.17.4 Usado instintivamente pelo elemento espiritual como recurso reparador no refazimento das células em serviço, semelhante estado fisiológico carreou novas possibilidades de realização para quantos se consagrassem ao trabalho mais amplo de desejar e mentalizar.

Ansiando livrar-se da fadiga física, após determinada cota de tempo no esforço da vigília diária e, por isso mesmo, entregue ao relaxamento muscular, o homem operante e indagador adormecia com a ideia fixada a serviços de sua predileção.

Amadurecido para pensar e lançando de si a substância de seus propósitos mais íntimos, ensaiou, pouco a pouco, tal como aprendera, vagarosamente, o desprendimento definitivo nas operações da morte, o desprendimento parcial do corpo sutil, durante o sono, desenfaixando-o do veículo de matéria mais densa, embora sustente-o, ligado a ele, por laços fluídico-magnéticos, a se dilatarem levemente dos plexos e, com mais segurança, da fossa romboide.

Encetado o processo de sonolência, com as reações motoras empobrecidas e impondo mecanicamente a si mesma o descanso temporário, no auxílio às células fatigadas de tensão, isto desde as eras remotas em que o pensamento se lhe articulou com fluência e continuidade, permanece a mente, por intermédio do corpo espiritual, na maioria das vezes, justaposta ao veículo físico, à guisa de um cavaleiro que repousa ao pé do animal de que necessita para a travessia de grande região, em complicada viagem, dando-lhe ensejo à recuperação e pastagem, enquanto ele se recolhe ao próprio íntimo, ensimesmando-se para refletir ou imaginar, de conformidade com seus problemas e inquietações, necessidades e desejos.

Aspectos do desprendimento – É dessa forma, aliviando o controle sobre as células que a servem no corpo carnal, a mente se volta, no sono, para o refúgio de si mesma, plasmando na onda constante de suas próprias ideias as imagens com que se compraz nos sonhos agradáveis em que saca da memória a essência de seus próprios desejos, retemperando-se na antecipada contemplação dos painéis ou situações que almeja concretizar.

Para isso, mobiliza os recursos do núcleo da visão superior, no diencéfalo, uma vez que, aí, as qualidades essencialmente ópticas do centro coronário lhe acalentam no silêncio do desnervamento transitório todos os pensamentos que lhe emergem do seio. 1.17.5

Noutras ocasiões, no mesmo estado de insulamento, recolhe, no curso do sono, os resultados de seus próprios excessos, padecendo a inquietação das vísceras ou dos nervos injuriados pela sua rendição à licenciosidade, quando não seja o asfixiante pesar do remorso por faltas cometidas, cujos reflexos absorvem do arquivo em que se lhe amontoam as próprias lembranças.

Numa e noutra condição, todavia, é a mente suscetível à influenciação dos desencarnados que, evoluídos ou não, lhe visitam o ser, atraídos pelos quadros que se lhe filtram da aura, ofertando-lhe auxílio eficiente quando se mostre inclinada à ascensão de ordem moral, ou sugando-lhe as energias e assoprando-lhe sugestões infelizes quando, pela própria ociosidade ou intenção maligna, adere ao consórcio psíquico de espécie aviltante, que lhe favorece a estagnação na preguiça ou a envolve nas obsessões viciosas pelas quais se entrega a temíveis contratos com as forças sombrias.

Dessa posição de espectador à função de agente existe, porém, apenas um passo.

O pensamento contínuo, em fluxo insopitável, desloca-lhe a organização celular perispiritual, à maneira do córrego que em sua passagem desarticula da gleba em que desliza todo um rosário de seixos. E assim como os seixos soltos seguem a direção da corrente, lapidando-se no curso dos dias, o corpo espiritual acompanha, de início, o impulso da corrente mental que por ele extravasa, *conscienciando-se* muito vagarosamente no sono, que lhe propicia *meia libertação*.

1.17.6 **Mediunidade espontânea** – Nessa fase primária de novo desenvolvimento, encontra-se, como é natural, ao pé dos objetos que lhe tomam o interesse.

É assim que o lavrador, no repouso físico, retorna, em corpo espiritual, ao campo em que semeia, entrando em contato com as entidades que amparam a Natureza; o caçador volta para a floresta; o escultor regressa, frequentemente, no sono, ao bloco de mármore de que aspira a desentranhar a obra-prima; o seareiro do bem volve à leira de serviço em que se lhe desdobra a virtude, e o culpado torna ao local do crime, cada qual recebendo de Espíritos afins os estímulos elevados ou degradantes de que se fazem merecedores.

Consolidadas semelhantes relações com o Plano Espiritual, por intermédio da hipnose comum, começaram na Terra os movimentos da mediunidade espontânea, porquanto os encarnados que demonstrassem capacidades mediúnicas mais evidentes, pela comunhão menos estreita entre as células do corpo físico e do corpo espiritual, em certas regiões do campo somático, passaram das observações durante o sono às observações da vigília, a princípio fragmentárias, mas acentuáveis com o tempo, conforme os graus de cultura a que fossem expostos.

Quanto menos densos os elos entre os implementos físicos e espirituais nos órgãos da visão, mais amplas as possibilidades na clarividência, prevalecendo as mesmas normas para a clariaudiência e para modalidades outras, no intercâmbio entre as duas esferas, inclusive as peculiaridades da materialização, pelas quais os recursos periféricos do citoplasma, a se condensarem no ectoplasma da definição científica vulgar, se exteriorizam do corpo carnal do médium, na conjugação com as forças circulantes do ambiente, para a efêmera constituição de formas diversas.

Desde então, iniciou-se o correio entre o plano físico e o 1.17.7
Plano Extrafísico, mas, porque a ignorância embotasse ainda a
mente humana, os médiuns primitivos nada mais puderam realizar que a fascinação recíproca, ou magia elementar, em que os
desencarnados igualmente inferiores eram aproveitados, por via
hipnótica, na execução de atividades materialistas, sem qualquer
alicerce na sublimação pessoal.

Formação da Mitologia – Apareceu então a goécia ou magia negra, à qual as Inteligências superiores opuseram a religião
por magia divina, encetando-se a formação da Mitologia em todos os setores da vida tribal.

Numes familiares, interessados em favorecer as tarefas edificantes para levantar a vida humana a nível mais nobre, foram
categorizados à conta de deuses, em diversas faixas da Natureza,
e, realmente, por meio dos instrumentos humanos mobilizáveis,
esses gênios tutelares incentivaram, por todas as formas possíveis,
o progresso da agricultura e do pastoreio, das indústrias e das artes.

A luta entre os Espíritos retardados na sombra e os aspirantes da luz encontrou seguro apoio nas almas encarnadas que
lhes eram irmãs.

Desde essas eras recuadas, empenharam-se o bem e o mal
em tremendo conflito que ainda está muito longe de terminar,
com bases na mediunidade consciente ou inconsciente, técnica
ou empírica.

Função da Doutrina Espírita – Forçoso reconhecer, todavia, que a mediunidade, na essência, quanto a energia elétrica em
si mesma, nada tem a ver com os princípios morais que regem os
problemas do destino e do ser.

Dela podem dispor, pela espontaneidade com que se evidencia, sábios e ignorantes, justos e injustos, expressando-se-lhe,
desse modo, a necessidade de condução reta, quanto a força elétrica exige disciplina a fim de auxiliar.

1.17.8   Esse o motivo por que os orientadores do progresso sustentam a Doutrina Espírita na atualidade do mundo por chama divina, cristianizando fenômenos e objetivos, caracteres e faculdades, para que o Evangelho de Jesus seja de fato incorporado às relações humanas.

Como nas intervenções cirúrgicas em que tecidos são transplantados com êxito para melhoria das condições orgânicas, é indispensável nos atenhamos ao impositivo das operações mediúnicas pelas quais se efetuem proveitosas enxertias psíquicas, com vistas à difusão do conhecimento superior.

Mediunidade e vida – Eminentes fisiologistas e pesquisadores de laboratório procuraram fixar mediunidades e médiuns a nomenclaturas e conceitos da ciência metapsíquica; entretanto, o problema, como todos os problemas humanos, é mais profundo, porque a mediunidade jaz adstrita à própria vida, não existindo, por isso mesmo, dois médiuns iguais, não obstante a semelhança no campo das impressões.

Por outro lado, espiritualistas distintos julgam-se no direito de hostilizar-lhe os serviços e impedir-lhe a eclosão, encarecendo-lhe os supostos perigos, como se eles próprios, mentalizando os argumentos que avocam, não estivessem assimilando, por via mediúnica, as correntes mentais intuitivas, contendo interpretações particulares das Inteligências desencarnadas que os assistem.

A mediunidade, no entanto, é faculdade inerente à própria vida e, com todas as suas deficiências e grandezas, acertos e desacertos, é qual o dom da visão comum, peculiar a todas as criaturas, responsável por tantas glórias e tantos infortúnios na Terra.

Ninguém se lembrará, contudo, de suprimir os olhos, porque milhões de pessoas, em face de circunstâncias imponderáveis da evolução, deles se tenham valido para perseguir e matar nas guerras de terror e destruição.

Urge iluminá-los, orientá-los e esclarecê-los.

Também a mediunidade não requisitará desenvolvimento indiscriminado, mas sim, antes de tudo, aprimoramento da personalidade mediúnica e nobreza de fins, para que o corpo espiritual, modelando o corpo físico e sustentando-o, possa igualmente erigir-se em filtro leal das esferas superiores, facilitando a ascensão da Humanidade aos domínios da luz. 1.17.9

Uberaba, 26-3-1958.

18
Sexo e corpo espiritual

1.18.1 **Hermafroditismo e unissexualidade** – Examinando instinto sexual em sua complexidade nas linhas multiformes da vida, convém lembrar que, por milênios e milênios, o princípio inteligente se demorou no hermafroditismo das plantas, como, por exemplo, nos fanerógamos, em cujas flores os estames e pistilos articulam, respectivamente, elementos masculinos e femininos.

Nas plantas criptogâmicas celulares e vasculares ensaiara longamente a reprodução sexuada, na formação de gametos (anterozoides e oosfera) que muito se aproximam aos dos animais e cuja fecundação se efetua por meios análogos aos que observamos nestes últimos seres.

Depois de muitas metamorfoses que não cabem num estudo sintético quanto o nosso, caminhou o elemento espiritual, na reprodução monogônica, entre as vastas províncias dos protozoários e metazoários, com a divisão e gemação entre os primeiros, correspondendo à cisão ou estrobilação entre os segundos.

Longo tempo foi gasto na evolução do instinto sexual em 1.18.2
vários tipos de animais inferiores, alternando-se-lhe os estágios
de hermafroditismo com os de unissexualidade para que se lhe
aperfeiçoassem as características na direção dos vertebrados.

Hermafroditismo potencial – Gradativamente, aparecem
novos fatores de diferenciação, guardando-se, no entanto, os distintivos essenciais, como podemos identificar, ainda agora, no
sapo macho adulto um hermafrodita potencial, apesar dos sinais masculinos com que se apresenta, sabendo-se que carrega
na região do seu testículo, positivamente acrescido, um ovário
elementar aderente, o conhecido corpo de Bidder.

Se extirparmos o testículo, o ovário atrofiado começa
a funcionar, por atuação da hipófise, conforme experimentos
comprovados, convertendo-se num ovário adulto.

Ocorrência inversa é verificável em cinco a dez por cento de galinhas adultas, isto é, nos indivíduos psiquicamente
dispostos, das quais, se retirarmos o ovário esquerdo, também
consideravelmente desenvolvido, o ovário direito, rudimentar, transubstancia-se num testículo que se vitaliza e cresce,
na sua parte medular, até então inibida pelos estrogênios do
ovário esquerdo.

Nesse fenômeno, aumenta-se-lhes a crista, cantam tipicamente à maneira do galo e adotam-lhe a conduta sexual masculina.

Registramos esses fatos para demonstrar que entre todos
os vertebrados e muito particularmente no homem, herdeiro das
mais complicadas experiências psíquicas, nos domínios da reencarnação, apenas os caracteres morfológicos dos implementos
sexuais estão submetidos aos princípios da genética. Isso porque
não é só a figuração das glândulas sexuais que se mostra bipotencial até certo ponto, pois todo o cosmo orgânico é suscetível
de reagir aos hormônios do mesmo sexo ou do sexo contrário,
segundo as disposições psíquicas da personalidade.

1.18.3 **Ação dos hormônios** – Atingindo inequívoco progresso em seus estímulos, o corpo espiritual, desde a protoforma psicossômica nos animais superiores até o homem, conforme a posição da mente a que serve, determina mais ampla riqueza hormonal.

As glândulas sexuais que então mobiliza são mais complexas. Exercem a própria ação pelos hormônios que segregam, arrojando-os no sangue, hormônios esses, femininos ou masculinos, que possuem por arcabouço da constituição química, em que se expressam, o núcleo ciclo-pentano-peridro-fenantreno, filiando-se ao grupo dos esteróis.

Os hormônios estrogênicos, oriundos do ovário, mantêm os caracteres femininos secundários, e os androgênicos, segregados pelo testículo, sustentam os caracteres masculinos da mesma ordem. Produzem ações estimulantes e inibitórias; todavia, como atendem necessariamente a impulsos e determinações da mente, por intermédio do corpo espiritual, incentivam o desenvolvimento ou a maneira de proceder da espécie, mas não os origina.

Por isso, nenhum deles possui ação monopolizadora no mundo orgânico, não obstante patentearem essa ou aquela influência de modo mais amplo.

Ainda em razão do mesmo princípio que lhes vige na formação, pelo qual obedecem às vibrações incessantes do campo mental, os hormônios não se armazenam: transformam-se rapidamente ou sofrem apressada expulsão nos movimentos excretórios.

Entendendo-se os recursos da reprodução como engrenagens e mecanismos de que o Espírito em evolução se vale para a plasmagem das formas físicas, sem que os homens lhe comprovem, de modo absoluto, as qualidades mais íntimas, é fácil reconhecer que as glândulas sexuais e seus hormônios exibem efeitos relativamente específicos.

Inegavelmente, o ovário e os hormônios femininos se responsabilizam pelos distintivos sexuais femininos, mas podem desenvolver alguns deles no macho, prevalecendo as mesmas diretrizes para o testículo e os hormônios que lhe correspondem.

Isso é claramente demonstrável nos experimentos de castração, enxertos e injeções hormonais, porquanto, apesar de a ação sexual específica do testículo e do ovário apresentar-se como fato indiscutível, a gônada, refletindo os estados da mente, herdeira direta de experiências inumeráveis, eventualmente produz certa quantidade de hormônios heterossexuais e, da mesma sorte, ainda que os hormônios sexuais se afirmem com atividade específica intensa, em determinados acontecimentos realizam essa ou aquela ação em órgãos do sexo oposto. 1.18.4

Esses são os efeitos heterossexuais ou bissexuais das glândulas ou dos hormônios.

Origem do instinto sexual – Todas as nossas referências a semelhantes peças do trabalho biológico, nos reinos da Natureza, objetivam simplesmente demonstrar que, além da trama de recursos somáticos, a alma guarda a sua individualidade sexual intrínseca, a definir-se na feminilidade ou na masculinidade, conforme os característicos acentuadamente passivos ou claramente ativos que lhe sejam próprios.

A sede real do sexo não se acha, dessa maneira, no veículo físico, mas sim na entidade espiritual, em sua estrutura complexa.

E o instinto sexual, por isso mesmo, traduzindo amor em expansão no tempo, vem das profundezas, para nós ainda inabordáveis, da vida, quando agrupamentos de mônadas celestes se reuniram magneticamente umas às outras para a obra multimilenária da evolução, ao modo de núcleos e elétrons na tessitura dos átomos, ou dos sóis e dos mundos nos sistemas macrocósmicos da Imensidade.

Por ele, as criaturas transitam de caminho a caminho, nos domínios da experimentação multifária, adquirindo as qualidades de que necessitam; com ele, vestem-se da forma física, em condições anômalas, atendendo a sentenças regeneradoras na Lei de Causa e Efeito ou cumprindo instruções especiais com fins de trabalho justo.

1.18.5   O sexo é, portanto, mental em seus impulsos e manifestações, transcendendo quaisquer impositivos da forma em que se exprime, não obstante reconhecermos que a maioria das consciências encarnadas permanecem seguramente ajustadas à sinergia mente–corpo, em marcha para mais vasta complexidade de conhecimento e emoção.

Evolução do amor – Entretanto, importa reconhecer que à medida que se nos dilata o afastamento da animalidade quase absoluta, para a integração com a Humanidade, o amor assume dimensões mais elevadas, tanto para os que se verticalizam na virtude como para os que se horizontalizam na inteligência.

Nos primeiros, cujos sentimentos se alteiam para as esferas superiores, o amor se ilumina e purifica, mas ainda é instinto sexual nos mais nobres aspectos, imanizando-se às forças com que se afina em radiante ascensão para Deus.

Nos segundos, cujas emoções se complicam, o amor se requinta, transubstanciando-se o instinto sexual em constante exigência de satisfação imoderada do "eu".

De conformidade com a Psicanálise, que vê na atividade sexual a procura incessante de prazer, concordamos em que uns, na própria sublimação, demandam o prazer da Criação, identificando-se com a origem divina do Universo, enquanto outros se fixam no encalço do prazer desenfreado e egoístico da autoadoração.

Os primeiros aprendem a amar com Deus.

Os segundos aspiram a ser amados a qualquer preço.

A energia natural do sexo, inerente à própria vida em si, gera cargas magnéticas em todos os seres, pela função criadora de que se reveste, cargas que se caracterizam com potenciais nítidos de atração no sistema psíquico de cada um e que, acumulando-se, invadem todos os campos sensíveis da alma, como que a lhe obliterar os mecanismos outros de ação, qual se estivéssemos diante de usina reclamando controle adequado.

Ao nível dos brutos ou daqueles que lhes renteiam a condição, a descarga de semelhante energia se efetua indiscriminadamente por meio de contatos, quase sempre desregrados e infelizes, que lhes carreiam, em consequência, a exaustão e o sofrimento como processos educativos. 1.18.6

Poligamia e monogamia – O instinto sexual, então, a desvairar-se na poligamia, traça para si mesmo largo roteiro de aprendizagem a que não escapará pela matemática do destino que nós mesmos criamos.

Entretanto, quanto mais se integra a alma no plano da responsabilidade moral para com a vida, mais apreende o impositivo da disciplina própria, a fim de estabelecer, com o dom de amar que lhe é intrínseco, novos programas de trabalho que lhe facultem acesso aos planos superiores.

O instinto sexual nessa fase da evolução não encontra alegria completa senão em contato com outro ser que demonstre plena afinidade, porquanto a liberação da energia, que lhe é peculiar, do ponto de vista do governo emotivo, solicita compensação de força igual, na escala das vibrações magnéticas.

Em semelhante eminência, a monogamia é o clima espontâneo do ser humano, uma vez que dentro dela realiza, naturalmente, com a alma eleita de suas aspirações a união ideal do raciocínio e do sentimento, com a perfeita associação dos recursos ativos e passivos, na constituição do binário de forças, capaz de criar não apenas formas físicas para a encarnação de outras almas na Terra, mas também as grandes obras do coração e da inteligência, suscitando a extensão da beleza e do amor, da sabedoria e da glória espiritual que vertem, constantes, da Criação Divina.

1.18.7 **Alimento espiritual** – Há, por isso, consórcios de infinita gradação no plano terrestre e no Plano Espiritual, nos quais os elementos sutis de comunhão prevalecem acima das linhas morfológicas do vaso físico, por se ajustarem ao sistema psíquico antes que às engrenagens da carne, em circuitos substanciais de energia.

Contudo, até que o Espírito consiga purificar as próprias impressões, além da ganga sensorial, em que habitualmente se desregra no narcisismo obcecante, valendo-se de outros seres para satisfazer a volúpia de hipertrofiar-se psiquicamente no prazer de si mesmo, numerosas reencarnações instrutivas e reparadoras se lhe debitam no livro da vida, porque não cogita exclusivamente do próprio prazer sem lesar os outros, e toda vez que lesa alguém abre nova conta resgatável em tempo certo.

Isso ocorre porque o instinto sexual não é apenas agente de reprodução entre as formas superiores, mas, acima de tudo, é o reconstituinte das forças espirituais, pelo qual as criaturas encarnadas ou desencarnadas se alimentam mutuamente, na permuta de raios psíquico-magnéticos que lhes são necessários ao progresso.

Os Espíritos santificados, em cuja Natureza superevolvida o instinto sexual se diviniza, estão relativamente unidos aos Espíritos glorificados, em que descobrem as representações de Deus que procuram, recolhendo de semelhantes entidades as cargas magnéticas sublimadas, por eles próprios liberadas no êxtase espiritual.

De outro lado, as almas primitivas comumente lhe gastam a força em excessos que lhes impõem duras lições.

Entre os Espíritos santificados e as almas primitivas, milhões de criaturas conscientes, viajando da rude animalidade para a Humanidade enobrecida, em muitas ocasiões se arrojam a experiências menos dignas, privando a companheira ou o companheiro do alimento psíquico a que nos reportamos, interrompendo a comunhão sexual que lhes alentava a euforia, e, se as forças sexuais não se encontram suficientemente controladas por valores morais nas vítimas, surgem, frequentemente, longos processos de desespero ou de delinquência.

Enfermidades do instinto sexual – As cargas magnéticas 1.18.8 do instinto, acumuladas e desbordantes na personalidade, à falta de sólido socorro íntimo para que se canalizem na direção do bem, obliteram as faculdades, ainda vacilantes, do discernimento e, à maneira do esfaimado, alheio ao bom senso, a criatura lesada em seu equilíbrio sexual costuma entregar-se à rebelião e à loucura em síndromes espirituais de ciúme ou despeito. Diante das torturas genésicas a que se vê relegada, gera aflitivas contas cármicas a lhe vergastarem a alma no espaço e a lhe retardarem o progresso no tempo.

Daí nascem as psiconeuroses, os colapsos nervosos decorrentes do trauma nas sinergias do corpo espiritual, as fobias numerosas, a "histeria de conversão", a "histeria de angústia", os "desvios da libido", a neurose obsessiva, as psicoses e as fixações mentais diversas que originam na ciência de hoje as indagações e os conceitos da psicologia de profundidade, na esfera da Psicanálise, que identifica as enfermidades ou desajustes do instinto sexual sem oferecer-lhes medicação adequada, porque apenas o conhecimento superior, gravado na própria alma, pode opor barreiras à extensão do conflito existente, traçando caminhos novos à energia criadora do sexo, quando em perigoso desequilíbrio.

Desse modo, por semelhantes rupturas dos sistemas psicossomáticos, harmonizados em permutas de cargas magnéticas afins, no terreno da sexualidade física ou exclusivamente psíquica, é que múltiplos sofrimentos são contraídos por nós todos no decurso dos séculos, porquanto, se forjamos inquietações e problemas nos outros, com o instinto sexual, é justo venhamos a solucioná-los em ocasião adequada, recebendo por filhos e associados de destino, entre as fronteiras domésticas, todos aqueles que constituímos credores do nosso amor e da nossa renúncia, atravessando, muitas vezes, padecimentos inomináveis para assegurar-lhes o refazimento preciso.

1.18.9 Compreendamos, pois, que o sexo reside na mente, a expressar-se no corpo espiritual, e consequentemente no corpo físico, por santuário criativo de nosso amor perante a vida, e, em razão disso, ninguém escarnecerá dele, desarmonizando-lhe as forças, sem escarnecer e desarmonizar a si mesmo.

Pedro Leopoldo, 30-3-1958.

19
Alma e reencarnação

Depois da morte – Efetivamente, logo após a morte física, sofre a alma culpada minucioso processo de purgação, tanto mais produtivo quanto mais se lhe exteriorize a dor do arrependimento, e, apenas depois disso, consegue elevar-se a esferas de reconforto e reeducação. 1.19.1

Se a moléstia experimentada na veste somática foi longa e difícil, abençoadas depurações terão sido feitas, pelo ensejo de autoexame, no qual as aflições suportadas com paciência lhe alteraram sensações e refundiram ideias.

Todavia, se essa operação natural não foi possível no círculo carnal, mais se lhe agravam os remorsos depois do túmulo, por recalcados na consciência, a aflorarem, todos eles, por meio de reflexão, renovando as imagens com que foram fixados na própria alma.

Criminosos que mal ressarciram os débitos contraídos, instados pelo próprio arrependimento, plasmam, em torno de si mesmos, as cenas degradantes em que arruinaram a vida íntima, alimentando-as à custa dos próprios pensamentos desgovernados.

1.19.2   Caluniadores que aniquilaram a felicidade alheia vivem pesadelos espantosos, regravando nas telas da memória os padecimentos das vítimas, como no dia em que as fizeram descer para o abismo da angústia, algemados ao pelourinho de obsidentes recordações.

Tiranetes diversos volvem a sentir nos tecidos da própria alma os golpes que desferiram nos outros, e os viciados de toda sorte, quais os dipsômanos e morfinômanos, experimentam agoniada insatisfação, qual ocorre também aos desequilibrados do sexo, que acumulam na organização psicossomática as cargas magnéticas do instinto em desvario, pelas quais se localizam em plena alienação.

As vítimas do remorso padecem, assim, por tempo correspondente às necessidades de reajuste, larga internação em zonas compatíveis com o estado espiritual que demonstram.

Conceito de Inferno – O Inferno das várias religiões, nesse aspecto, existe perfeitamente como órgão controlador do equilíbrio moral nos reinos do Espírito, assim como a penitenciária e o hospital se levantam na Terra como retortas de recuperação e de auxílio.

Além-Túmulo, no entanto, o estabelecimento depurativo como que reúne em si os órgãos de repressão e de cura, porquanto as consciências empedernidas aí se congregam às consciências enfermas, na comunhão dolorosa, mas necessária, em que o mal é defrontado pelo próprio mal, a fim de que, examinando-se nos semelhantes, esmoreça por si na faina destruidora em que se desmanda.

É assim que as Inteligências ainda perversas se transformam em instrumentos reeducativos daquelas que começam a despertar, pela dor do arrependimento, para a imprescindível restauração.

O Inferno, dessa maneira, no clima espiritual das várias nações do globo, pode ser tido na conta de imenso cárcere-hospital, em que a diagnose terrestre encontrará realmente todas as doenças catalogadas na patologia comum, inclusive outras muitas, desconhecidas do homem, não propriamente oriundas ou sustentadas pela fauna microbiana do ambiente carnal, mas nascidas de profundas disfunções do corpo espiritual e, muitas vezes, nutridas pelas formas-pensamentos em torturado desequilíbrio, classificáveis por larvas mentais, de extremo poder corrosivo e alucinatório, não obstante a fugaz duração com que se articulam, quando não obedecem às ideias infelizes longamente recapituladas no tempo.

"Sementes de destino" – Nesses lugares de retificadoras 1.19.3 inquietações, alija o Espírito endividado a carga de superfície, exonerando-se dos elementos de mais envolvente degradação que o aviltam; contudo, tão logo revele os primeiros sinais de positiva renovação para o bem, registra o auxílio das esferas superiores, que, por agentes inúmeros, apoiam os serviços da Luz Divina onde a ignorância e a crueldade se transviam na sombra.

Qual doente, agora acolhido em outros setores pela encorajadora convalescença de que dá testemunho, o devedor desfruta suficiente serenidade para rever os compromissos assumidos na encarnação recentemente deixada, sopesando os males e sofrimentos de que se fez responsável, acusando ainda a si próprio, com a incapacidade evidente de perdoar-se, tanto maior quão maiores lhe foram no mundo as oportunidades de elevação e a luz do conhecimento.

Muita vez, ascendem a escolas beneméritas, nas quais recolhem mais altas noções da vida, aprimoram-se na instrução, aperfeiçoam impulsos e exercem preciosas atividades, melhorando os próprios créditos; todavia, as lembranças dos erros voluntários, ainda mesmo quando as suas vítimas tenham já superado todas as sequelas dos golpes sofridos, entranham-se-lhes no espírito por *sementes de destino*, uma vez que eles mesmos, reconhecendo-se necessitados de promoção a níveis mais nobres, pedem novas reencarnações com as provas de que carecem para se quitarem consciencialmente consigo próprios.

1.19.4   Nesses casos, a escolha da experiência é mais que legítima, porquanto, por meio da limpeza de limiar efetuada nas regiões retificadoras e pelos títulos adquiridos nos trabalhos que abraça no Plano Extrafísico, merece a criatura os cuidados preparatórios da nova tarefa em vista, a fim de que haja a conjugação de todos os fatores para que reencontre os credores ou as circunstâncias imprescindíveis, junto aos quais se redima perante a Lei.

Reencarnações especiais – Entretanto, reencarnações se processam, muita vez, sem qualquer consulta aos que necessitam segregação em certas lutas no plano físico, providências essas comparáveis às que assumimos no mundo com enfermos e criminosos que, pela própria condição ou conduta, perderam temporariamente a faculdade de resolver quanto à sorte que lhes convém no espaço de tempo em que se lhes perdura a enfermidade ou em que se mantenham sob as determinações da justiça.

São os problemas especiais, em que a individualidade renasce de cérebro parcialmente inibido ou padecendo mutilações congênitas, ao lado daqueles que lhe devem abnegação e carinho.

Incapazes de eleger o caminho de reajuste, pelo estado de loucura ou de sofrimento que evidenciam, semelhantes enfermos são decididamente internados na cela física como doentes isolados sob assistência precisa.

Vemo-los, assim, repontando de lares faustosos ou paupérrimos, contrariando, por vezes, até certo ponto, os estatutos que regem a hereditariedade, por representarem dolorosas exceções no caminho normal.

Reencarnação e evolução – Urge reparar, entretanto, em que a reencarnação não é mero princípio regenerativo.

A evolução natural nela encontra firme apoio.

Criaturas que avultam na bondade em muitas ocasiões re- 1.19.5
querem conhecimento nobilitante, e muitas que se agigantaram
na inteligência permanecem à míngua de virtude.

Outras inumeráveis, embora detenham preciosos valores nos domínios do coração e do cérebro, após longo estágio no Plano Extrafísico, sentem fome de progresso renovador por inabilitadas, ainda, a ascensões maiores e renunciam à tranquilidade a que se integram nos grupos afins, porque, no cadinho efervescente da carne, analisam, de novo, as próprias imperfeições, testando-lhes a amplitude nas rudes experiências da vida humana, obtendo mais avançado ensejo de corrigenda e transformação.

Isso não significa que a consciência desencarnada deixe de encontrar possibilidades de expansão nas cidades espirituais que gravitam em torno da Terra. Outras modalidades de estudo e trabalho aí lhe asseguram novos fatores de evolução; contudo, escassa percentagem de criaturas humanas, além da morte, adquirem acesso definitivo aos planos superiores.

A esmagadora maioria jaz ainda ligada às ideologias e raças, pátrias e realizações, famílias e lares do mundo.

É por isso que artistas eméritos, ao notarem o curso diferente das escolas que deixaram no planeta, sentem-se irresistivelmente atraídos para a reencarnação, a fim de preservar-lhes ou enriquecer-lhes os patrimônios.

Cientistas eminentes, interessados na continuidade dos empreendimentos redentores que largaram em mãos alheias, volvem ao trabalho e à experimentação entre os homens, e, no mesmo espírito missionário, religiosos e filósofos, professores e condutores, homens e mulheres que se distinguem por nobres aspirações retornam, voluntariamente, à esfera física, em sagradas ações de auxílio que lhes valem honrosos degraus de sublimação na escalada para a Divina Luz.

1.19.6   Entendamos, assim, que tanto a regeneração quanto a evolução não se verificam sem preço.

O progresso pode ser comparado a montanha que nos cabe transpor, sofrendo-se naturalmente os problemas e as fadigas da marcha, enquanto a recuperação ou a expiação podem ser consideradas como essa mesma subida, devidamente recapitulada, através de embaraços e armadilhas, miragens e espinheiros que nós mesmos criamos.

Se soubermos, porém, suar no trabalho honesto, não precisaremos suar e chorar no resgate justo.

E não se diga que todos os infortúnios da marcha de hoje estejam debitados a compromissos de ontem, porque, com a prudência e a imprudência, com a preguiça e o trabalho, com o bem e o mal, melhoramos ou agravamos a nossa situação, reconhecendo-se que todo dia, no exercício de nossa vontade, formamos novas causas, refazendo o destino.

Particularidades da reencarnação – Perguntar-se-á, razoavelmente, se existe uma técnica invariável no serviço reencarnatório. Seria o mesmo que indagar se a morte na Terra é única em seus processos para todas as criaturas.

Cada entidade reencarnante apresenta particularidades essenciais na recorporificação a que se entrega na esfera física, quanto cada pessoa expõe característicos diferentes quando se rende ao processo liberatório, não obstante o nascimento e a morte parecerem iguais.

Os Espíritos categoricamente superiores, quase sempre, em ligação sutil com a mente materna que lhes oferta guarida, podem plasmar por si mesmos e, não raro, com a colaboração de instrutores da vida maior, o corpo em que continuarão as futuras experiências, interferindo nas essências cromossômicas, com vistas às tarefas que lhes cabem desempenhar.

Os Espíritos categoricamente inferiores, na maioria das ocasiões, padecendo monoideísmo tiranizante, entram em simbiose fluídica com as organizações femininas a que se agregam, experimentando o definhamento do corpo espiritual ou o fenômeno de "ovoidização", sendo inelutavelmente atraídos ao vaso uterino, em circunstâncias adequadas, para a reencarnação que lhes toca, em moldes inteiramente dependentes da hereditariedade, como acontece à semente que, após desligar-se do fruto seco, germina no solo, segundo os princípios organogênicos a que obedece, tão logo encontre o favor ambiencial.

Entre ambas as classes, porém, contamos com milhões de Espíritos medianos na evolução, portadores de créditos apreciáveis e dívidas numerosas, cuja reencarnação exige cautela de preparo e esmero de previsão. 1.19.7

Restringimento do corpo espiritual – Institutos de escultura anatômica funcionam, por isso, no Plano Espiritual, brunindo formas diversas, de modo a orientar os mapas ou prefigurações do serviço que aos reencarnantes competirá mais tarde, atender.

Corpos, membros, órgãos, fibras e células são aí esboçados e estudados, antes que se definam os primórdios da rematerialização terrestre, porque, nesses casos, em que a alma oscila entre méritos e deméritos, a reencarnação permanece sob os auspícios de autoridades e servidores da justiça espiritual que administra recursos a cada aprendiz da sublimação, de acordo com as obras edificantes que lhes constem do currículo da existência.

Para isso, os candidatos à reencarnação, sem superioridade suficiente de modo a supervisioná-la com o seu próprio critério e distantes da inferioridade primitivista que deles faria escravos absolutos da herança física, são admitidos a instituições-hospitais em que magnetizadores desencarnados, bastante competentes pela nobreza íntima, se incumbem de aplicar-lhes fluidos balsamizantes que os adormeçam, por períodos variáveis, de conformidade com a evolução moral que enunciem, a fim de que os princípios psicossomáticos se adaptem a justo restringimento, em bases de sonoterapia.

1.19.8　Desse modo, regressam ao berço humano, nas condições precisas, recolhidos a novo corpo, qual operário detentor de virtudes e defeitos a quem se concede novo uniforme de trabalho e nova oportunidade de realização.

Corpo físico – Paternidade e maternidade, raça e pátria, lar e sistema consanguíneo são conjugados com previdente sabedoria para que não faltem ao reencarnante todas as possibilidades necessárias ao êxito no empreendimento que se inicia.

E senhor das experiências adquiridas que lhe despontam do ser, em forma de tendências e impulsos, recebe o Espírito um corpo físico inteiramente novo, em olvido temporário, mas não absoluto, das experiências pregressas, corpo com o qual será defrontado pelas circunstâncias favoráveis ou não do caminho que deve percorrer, para prosseguir na obra digna em que se haja empenhado ou para retificar as lições em que haja falido.

Nessas diretrizes, nem sempre estará integrado normalmente na posição em que a vida mental e o campo somático se mostram em sinergia ideal.

Às vezes, deve sofrer mutilações e enfermidades benéficas, inibições e dificuldades orgânicas de caráter inevitável, porque, de aprendizado a aprendizado e de tarefa a tarefa, quanto o aluno de estágio a estágio para as grandes metas educativas, é que se levantará vitorioso para a ascensão à imortalidade celeste.

Uberaba, 9-4-1958.

20
Corpo espiritual e religiões

Responsabilidade e consciência – À medida que a res- 1.20.1
ponsabilidade se lhe apossou do espírito, iluminou-se a consciência do homem.

A centelha da razão convertera-se em chama divina.

A inteligência humana entendeu a grandeza do Universo e compreendeu a própria humildade, reconhecendo em suas entranhas a ideia inalienável de Deus.

Conduzindo-se, então, de modo racional, experimentou profundas transformações.

Percebe, nesse despertamento, que, além das operações vulgares da nutrição e da reprodução, da vigília e do repouso, estímulos interiores, inelutáveis, trabalham-lhe o âmago do ser, plasmando-lhe o caráter e o senso moral em que a intuição se amplia segundo as aquisições de conhecimento e em que a afetividade se converte em amor, com capacidade de sacrifício, atingindo a renúncia completa.

1.20.2   Até à época recuada do paleolítico, interferiram as Inteligências Divinas para que se lhe estruturasse o veículo físico, dotando-a com preciosas reservas para o futuro imenso.

Envolvendo-a na luz da responsabilidade, conferiam-lhe o dever de conservar e aprimorar o patrimônio recebido, e, investindo-a na riqueza do pensamento contínuo, entregaram-lhe a obrigação de atender ao aperfeiçoamento de seu corpo espiritual.

Aceitar-se-á, razoavelmente, que até semelhante fase os tremendos conflitos da Natureza, em que se mesclavam a violência e a brutalidade, foram debitados à conta da evolução necessária para a discriminação de indivíduos e agrupamentos, espécies e raças.

Atividade religiosa – Estabelecido, porém, o princípio de justiça e aflorando a mentação incessante, o homem começou a examinar em si mesmo o efeito das próprias ações, de modo a crescer, conscientemente, para a sua destinação de filho de Deus, herdeiro e colaborador da sua obra divina.

Espicaça-se-lhe, então, a curiosidade construtiva.

Faminto de elucidações adequadas quanto ao próprio caminho, ergue as antenas mentais para as estrelas, recolhendo os valores do espírito que lhe consubstanciam o patrimônio de revelações do Céu, através dos tempos.

Era necessário satisfazer ao acrisolamento do seu veículo sutil, na essência íntima, assegurar-lhe o transformismo anímico, revesti-lo de luminosidade e beleza e apurar-lhe os princípios para que, além do angusto círculo humano, pudesse retratar a glória dos planos superiores.

Para isso, o pensamento reclamava orientação educativa, de modo a despojar-se da espessa sedimentação de animalidade que lhe presidia os impulsos.

Exigia-se-lhe a depuração da atmosfera vital, imprescindível à assimilação da influência divina.

E a atividade religiosa nasceu por instituto mundial de higiene da alma, traçando ao homem diretrizes à nutrição psíquica, uma vez que, pela própria perspiração, exterioriza os produtos que elabora na usina mental, em forma de eflúvios eletromagnéticos, nos quais se lhe corporificam, em movimento, os reflexos dominantes, influenciando o ambiente e sendo por ele influenciado.

1.20.3

A ciência médica, rica de experimentação e de lógica, surgiria para corresponder às necessidades do corpo físico, mas a tarefa religiosa viria ao encontro das civilizações, plena de inspiração e disciplina, patrocinando a orientação do corpo espiritual em seu necessário refinamento.

Enxerto revitalizador – Nesse sentido, a Espiritualidade sublime, amparando o homem, jamais lhe menosprezou a sede de consolo e esclarecimento.

Quando mais angustiosos se lhe esboçavam os problemas da dor, com a guerra íntima entre a razão e a animalidade, grande massa de Espíritos ilustrados, mas decaídos de outro sistema cósmico, renasceu no tronco genealógico das tribos terrestres, qual enxerto revitalizador, embora isso representasse para eles amarga penitência expiatória.

Constituiu-se desse modo a raça adâmica, instilando no homem renovadas noções de Deus e da vida.[25]

Levantam-se organizações religiosas primordiais.

Povos nômades e agrupamentos escravizados ao solo por extremado gregarismo adotaram as mais estranhas formas de fé, a se emoldurarem por barbárie natural, por meio de intercâmbio fragmentário com o Plano Extrafísico.

Os Espíritos exilados, presos à rede organogênica em que se lhes tecia o cárcere, no carro biológico, ainda profundamente

---

[25] N.E.: Para mais amplo esclarecimento do assunto, aconselhamos ao leitor breve consulta ao capítulo 3 do livro *A caminho da luz*, de autoria do Espírito Emmanuel e recebido mediunicamente por Francisco Cândido Xavier.

primitivista, muita vez revoltados e endurecidos, aliavam-se às tabas selvagens, em cultos sanguinários e indescritíveis, desvairando-se nos mais aviltantes espetáculos de crueldade em nome dos deuses com que fantasiavam as entidades inferiores do seu convívio doméstico.

1.20.4 Alguns deles, no entanto, movidos de compunção, entraram em fervoroso arrependimento das culpas contraídas no mundo aprimorado de que provinham, e, não obstante os embaraços que se lhes antepunham aos sonhos de recuperação, começaram instintivamente a formar núcleos isolados para o cultivo de meditações superiores, em sagrados tentames de elevação.

Religião egipciana – Depois de longos e porfiados milênios de luta espiritual, surgem no mundo, como grupos por eles organizados, a China pré-histórica e a Índia védica, o antigo Egito e civilizações outras que se perderam no abismo das eras, nos quais a religião assume aspecto enobrecido como ciência moral de aperfeiçoamento, para mais alta ascensão da mente humana à consciência cósmica.

Dentre todos, desempenha o Egito missão especial, organizando escolas de iniciação mais profunda.

Em obediência aos requisitos da crença popular, herdeira intransigente das fixações mitológicas, mantém o sacerdócio cultos diversos a deuses vários, nas manifestações esotéricas dos templos descerrados ao povo.

O lar e a escola, a agricultura e o comércio, as indústrias e as artes possuem gênios especiais que os presidem, em nome da convicção vulgar, mas, na intimidade do santuário, o monoteísmo dirige a implantação da fé.

A unidade de Deus é o alicerce de toda a religião egipciana, em sua feição superior.

Para ela, os atributos divinos são a vontade sábia e poderosa, a liberdade, a grandeza, a magnanimidade incansável, o amor infinito e a imortalidade.

Em síntese, acredita que Deus plasmou os seus próprios 1.20.5
membros, que são os deuses conhecidos. Cada um desses deuses secundários pode ser tomado como análogo ao Deus Único, e cada um deles pode formar um tipo novo do qual se irradiam por sua vez, e, pelo mesmo processo, outros tipos de deuses inferiores.

Claro está que essa argumentação teológica, distanciada de mais altos roteiros da evolução, imaginava erroneamente potências espirituais centralizadas no Criador excelso, quando só Deus tem a faculdade de *verdadeiramente criar*, mas o conceito expressa, em sentido lato, a solidariedade constante e inevitável que existe em todas as vidas de que se constitui a família do supremo Senhor em todo o Universo.

Missão de Moisés – Os padres tebanos conheciam, de maneira precisa, a evidência do corpo espiritual que pode exteriorizar-se de cada criatura para ações úteis ou criminosas.

Cultivam a mediunidade em grau avançado, atendem a complexas aplicações do magnetismo, traçam disciplinas à vida íntima e comunicam-se com os desencarnados de modo iniludível, consagrando-lhes reverência especial.

Nesse campo de conhecimento mais nobre, reencarna-se Moisés como missionário da renovação, para dar à mente do povo a concepção do Deus Único, transferindo-a dos recintos iniciáticos para a praça pública. Entretanto, porque a evolução dos princípios religiosos implica sempre levantamento dos costumes, com a elevação da alma, o desbravador enfrenta batalhas terríveis do pensamento acomodado aos circuitos da tradição em que as classes se exploram mutuamente, agravando assim os próprios compromissos, para afinal receber os fundamentos da Lei, no Sinai.

Desde essa hora, o conhecimento religioso, baseado na Justiça cósmica, generaliza-se no âmago das nações, porquanto, pela mensagem de Moisés, informa-se o homem comum de que, perante Deus, o Senhor do Universo e da Vida, é obrigado a respeitar o direito dos semelhantes para que seja igualmente respeitado, reconhecendo que ele e o próximo são irmãos entre si, filhos de um Pai único.

1.20.6 A religião passa, desse modo, a atuar, em sentido direto, no acrisolamento do corpo espiritual para a vida maior, por meio da educação dos hábitos humanos a se depurarem no cadinho dos séculos, preparando a chegada do Cristo, o governador espiritual da Terra.

As ideias da justiça e da solidariedade, dos deveres coletivos e individuais com a higiene do corpo e da mente atingem ampla divulgação.

Os dez mandamentos – Os dez mandamentos, recebidos mediunicamente pelo profeta, brilham ainda hoje por alicerce de luz na edificação do direito, dentro da ordem social.

A palavra da Esfera Superior gravava a Lei de Causa e Efeito para o homem, advertindo-o solenemente:

— Consagra amor supremo ao Pai de bondade eterna, nele reconhecendo a tua divina origem.

Precata-te contra os enganos do antropomorfismo, porque padronizar os atributos divinos absolutos pelos acanhados atributos humanos é cair em perigosas armadilhas da vaidade e do orgulho.

Abstém-te de envolver o Julgamento Divino na estreiteza de teus julgamentos.

Recorda o impositivo da meditação em teu favor e em benefício daqueles que te atendem na esfera de trabalho, para que possas assimilar com segurança os valores da experiência.

Lembra-te de que a dívida para com teus pais terrestres é sempre insolvável por sua Natureza sublime.

Responsabilizar-te-ás pelas vidas que deliberadamente extinguires.

Foge de obscurecer ou conturbar o sentimento alheio, por- 1.20.7
que o cálculo delituoso emite ondas de força desorientada que
voltarão sobre ti mesmo.

Evita a apropriação indébita para que não agraves as próprias dívidas.

Desterra de teus lábios toda palavra dolosa a fim de que se
não transforme, um dia, em tropeço para os teus pés.

Acautela-te contra a inveja e o despeito, a inconformação
e o ciúme, aprendendo a conquistar alegria e tranquilidade, ao
preço do esforço próprio, porque os teus pensamentos te precedem os passos, plasmando-te, hoje, o caminho de amanhã.

Jesus e a religião – Com Jesus, no entanto, a religião, como
sistema educativo, alcança eminência inimaginável.

Nem templos de pedra, nem rituais.

Nem hierarquias efêmeras, nem avanço ao poder humano.

O Mestre desaferrolha as arcas do conhecimento enobrecido e distribui-lhe os tesouros. Dirige-se aos homens simples
de coração, curvados para a gleba do sofrimento, e ergue-lhes a
cabeça trêmula para o Céu. Aproxima-se de quantos desconhecem a sublimidade dos próprios destinos e assopra-lhes a verdade, vazada em amor, para que o sol da esperança lhes renasça
no ser. Abraça os deserdados e fala-lhes da Providência infinita.
Reúne, em torno de sua glória que a humildade escondia, os
velhos e os doentes, os cansados e os tristes, os pobres e os oprimidos, as mães sofredoras e as crianças abandonadas e entrega-lhes as bem-aventuranças celestes. Ensina que a felicidade não
pode nascer das posses efêmeras que se transferem de mão em
mão, e sim da caridade e do entendimento, da modéstia e do
trabalho, da tolerância e do perdão. Afirma-lhes que a Casa de
Deus está constituída por muitas moradas, nos mundos que
enxameiam o firmamento, e que o homem deve nascer de novo
para progredir na direção da Sabedoria Divina. Proclama que a

morte não existe e que a Criação é beleza e segurança, alegria e vitória em plena imortalidade.

1.20.8 Pelas revelações com que vence a superstição e o crime, a violência e a perversidade, paga na cruz o imposto de extremo sacrifício aos preconceitos humanos que lhe não perdoam a soberana grandeza, mas, reaparecendo redivivo, para a mesma Humanidade que o escarnecera e crucificara, desvenda-lhe, em novo cântico de humildade, a excelsitude da vida eterna.

Revivescência do Cristianismo – Erige-se, desde então, o Evangelho em código de harmonia, inspirando o devotamento ao bem de todos até o sacrifício voluntário, a fraternidade viva, o serviço infatigável aos semelhantes e o perdão sem limites.

Iniciam-se em todo o orbe imensas alterações. A crueldade metódica cede lugar à compaixão. Os troféus sanguinolentos da guerra desertam dos santuários. A escravidão de homens livres é sacudida nos fundamentos para que se anule de vez. Levanta-se a mulher da condição de alimária para a dignidade humana. A Filosofia e a Ciência admitem a caridade no governo dos povos. O ideal da solidariedade pura começa a fulgir sobre a fronte do mundo.

Moisés instalara o princípio da justiça, coordenando a vida e influenciando-a de fora para dentro.

Jesus inaugurou na Terra o princípio do amor, a exteriorizar-se do coração, de dentro para fora, traçando-lhe a rota para Deus.

E eis que o Cristianismo grandioso e simples ressurge agora no Espiritismo, induzindo-nos à sublimação da vida íntima, para que nossa alma se liberte da sombra que a densifica, encaminhando-se, renovada, para as culminâncias da Luz.

Pedro Leopoldo, 13-4-1958.

Segunda parte

1
Alimentação dos desencarnados

2.1.1 — *Como se verifica a alimentação dos Espíritos desencarnados?*

— Encarecendo a importância da respiração no sustento do corpo espiritual, basta lembrar a hematose no corpo físico, pela qual o intercâmbio gasoso se efetua com segurança, por intermédio dos alvéolos, nos quais os gases se transferem do meio exterior para o meio interno e vice-versa, atendendo à assimilação e desassimilação de variadas atividades químicas no campo orgânico.

O oxigênio que alcança os tecidos entra em combinação com determinados elementos, dando, em resultado, o anidrido carbônico e a água, com produção de energia destinada à manutenção das províncias somáticas.

Estudando a respiração celular, encontraremos, junto aos próprios arraiais da ciência humana, problemas somente equacionáveis com a ingerência automática do corpo espiritual nas funções do veículo físico, porque os fenômenos que lhe são consequentes se graduam em tantas fases diversas que o fisiologista, sem noções do Espírito, abordá-los-á sempre com a perplexidade de quem atinge o insolúvel.

Sabemos que para a subsistência do corpo físico é imprescindível a constante permuta de substâncias, com incessante transformação de energia.   2.1.2

Substância e energia se conjugam para fornecer ao carro fisiológico os recursos necessários ao crescimento ou à reparação do contínuo desgaste, produzindo a força indispensável à existência e os recursos reguladores do metabolismo.

O alimento comum ao corpo carnal experimenta, de início, a digestão, pela qual os elementos coloidais indifusíveis se transubstanciam em elementos cristaloides difusíveis, convertendo-se ainda as matérias complexas em matérias mais simples, acessíveis à absorção, a que se sucede a circulação dos valores nutrientes, suscetíveis de aproveitamento pelos tecidos, seja em regime de aplicação imediata, seja no de reserva, destinando-se os resíduos à expulsão natural.

A ciência terrena não desconhece que o metabolismo guarda a tendência de manter-se em estabilidade constante, tanto assim que, reconhecidamente, a despesa de oxigênio e o teor de glicemia em jejum revelam quase nenhuma diferença de dia para dia.

É que o corpo espiritual, comandando o corpo físico, sana espontaneamente, quando harmonizado em suas próprias funções, todos os desequilíbrios acidentais nos processos metabólicos, presidindo as reações do campo nutritivo comum.

Não ignoramos, desse modo, que desde a experiência carnal o homem se alimenta muito mais pela respiração, colhendo o *alimento de volume* simplesmente como recurso complementar de fornecimento plástico e energético, para o setor das calorias necessárias à massa corpórea e à distribuição dos potenciais de força nos variados departamentos orgânicos.

2.1.3   Abandonado o envoltório físico na desencarnação, se o psicossoma está profundamente arraigado às sensações terrestres, sobrevém ao Espírito a necessidade inquietante de prosseguir atrelado ao mundo biológico que lhe é familiar, e, quando não a supera ao preço do próprio esforço, no autorreajustamento, provoca os fenômenos da simbiose psíquica, que o levam a conviver, temporariamente, no halo vital daqueles encarnados com os quais se afine, quando não promove a obsessão espetacular.

Na maioria das vezes, os desencarnados em crise dessa ordem são conduzidos pelos agentes da Bondade Divina aos centros de reeducação do Plano Espiritual, onde encontram alimentação semelhante à da Terra, porém fluídica, recebendo-a em porções adequadas até que se adaptem aos sistemas de sustentação da Esfera Superior, em cujos círculos a tomada de substância é tanto menor e tanto mais leve quanto maior se evidencie o enobrecimento da alma, porquanto, pela difusão cutânea, o corpo espiritual, por meio de sua extrema porosidade, nutre-se de produtos sutilizados ou sínteses quimioeletromagnéticas, hauridas no reservatório da Natureza e no intercâmbio de raios vitalizantes e reconstituintes do amor com que os seres se sustentam entre si.

Essa alimentação psíquica, por intermédio das projeções magnéticas trocadas entre aqueles que se amam, é muito mais importante que o nutricionista do mundo possa imaginar, uma vez que, por ela, se origina a ideal euforia orgânica e mental da personalidade. Daí porque toda criatura tem necessidade de amar e receber amor para que se lhe mantenha o equilíbrio geral.

De qualquer modo, porém, o corpo espiritual com alguma provisão de substância específica ou simplesmente sem ela, quando já consiga valer-se apenas da difusão cutânea para refazer seus potenciais energéticos, conta com os processos da assimilação e da desassimilação dos recursos que lhe são peculiares, não prescindindo do trabalho de exsudação dos resíduos, pela epiderme ou pelos emunctórios normais, compreendendo-se, no entanto, que pela harmonia de nível, nas operações nutritivas, e pela *essencialização* dos elementos absorvidos, não existem para o veículo psicossomático determinados excessos e inconveniências dos sólidos e líquidos da excreta comum.

Uberaba, 16-4-1958.

2
Linguagem dos desencarnados

2.2.1 — *Como se caracteriza a linguagem entre os Espíritos?*

— Incontestavelmente, a linguagem do Espírito é, acima de tudo, a imagem que exterioriza de si próprio.

Isso ocorre mesmo no plano físico, em que alguém, sabendo refletir-se, necessitará poucas palavras para definir a largueza de seus planos e sentimentos, acomodando-se à síntese que lhe angaria maior cabedal de tempo e influência.

Círculos espirituais existem, em planos de grande sublimação, nos quais os desencarnados, sustentando consigo mais elevados recursos de riqueza interior, pela cultura e pela grandeza moral, conseguem plasmar, com as próprias ideias, quadros vivos que lhes confirmem a mensagem ou o ensinamento, seja em silêncio, seja com a despesa mínima de suprimento verbal, em livres circuitos mentais de arte e beleza, tanto quanto muitas Inteligências infelizes, treinadas na ciência da reflexão, conseguem formar telas aflitivas em circuitos mentais fechados e obsessivos sobre as mentes que magneticamente jugulam.

2.2.2 De acordo com o mesmo princípio, Espíritos desencarnados, em muitos casos, quando controlam as personalidades mediúnicas que lhes oferecem sintonia, operam sobre elas à base das imagens positivas com que as envolvem no transe, compelindo-as a lhes expedir os conceitos.

Nessas circunstâncias, expressa-se a mensagem pelo sistema de reflexão, em que o médium, embora guarde o córtex encefálico anestesiado por ação magnética do comunicante, lhe recebe os ideogramas e os transmite com as palavras que lhe são próprias. Todavia, não obstante reconhecermos que a imagem está na base de todo intercâmbio entre as criaturas encarnadas ou não, é forçoso observar que a linguagem articulada, no chamado *espaço das nações*, ainda possui fundamental importância nas regiões a que o homem comum será transferido imediatamente após desligar-se do corpo físico.

Pedro Leopoldo, 20-4-1958.

3
Corpo espiritual e volitação

2.3.1 — *Podemos receber alguma informação sobre a volitação do corpo espiritual?*

— Na metamorfose dos insetos, a histólise alcança notadamente os músculos e a máquina digestiva, atingindo apenas levemente o sistema nervoso e o sistema circulatório.

Efetuado o processo histolítico, segundo referências alinhadas em outra parte do nosso estudo, os órgãos diferenciados voltam à posição embrionária que lhes era característica e só então as células entram em segmentação, formando na histogênese os órgãos definitivos do inseto adulto, armado de recursos para librar na atmosfera.

Assim também, após a transfiguração ocorrida na morte, a individualidade ressurge com naturais alterações na massa muscular e no sistema digestivo, mas sem maiores inovações na constituição geral, munindo-se de aquisições diferentes para o novo campo de equilíbrio a que se transfere, com possibilidades de condução e movimento efetivamente não sonhados, já que o pensamento contínuo e a atração, nessas circunstâncias, não mais encontram certas resistências peculiares ao envoltório físico.

Ao homem comum, na encarnação, não é fácil, todavia, a articulação de uma ideia segura com respeito às condições de seu próprio corpo espiritual, Além-Túmulo, porque a mente, no plano físico, está inteiramente condicionada ao trabalho específico que lhe compete realizar, inelutavelmente circunscrita aos problemas de estrutura, e, por isso mesmo, incapacitada de identificar o reino inteligente de raios e ondas, fluidos e energias turbilhonantes em que vive.

2.3.2

— *Como entendermos a mente em si, individualizada e operante, se as células do corpo espiritual têm vida própria como as do corpo físico?*

— O problema é de simples orientação, qual acontece numa fábrica de largas proporções em que a gerência, unificada em seus programas de ação, supervisiona e comanda centenas de máquinas com diversos implementos cada uma, convergindo todas as peças do serviço para fins determinados.

— *Quais os mecanismos das alterações de cor, densidade, forma, locomoção e ubiquidade do corpo espiritual?*

— A pergunta está criteriosamente formulada; no entanto, para a ela responder com segurança, precisaremos dispor, na Terra, de mais avançadas noções acerca da mecânica do pensamento.

— *Em que condições o corpo espiritual de um desencarnado sofrerá compressões, escoriações ou ferimentos?*

— Dentro do conceito de relatividade, isso se verifica nas mesmas condições em que o corpo físico é injuriado dessa ou daquela forma na Terra.

2.3.3   Não dispomos, entretanto, presentemente, de terminologia adequada na linguagem terrestre para mais amplas definições do assunto.

— *Qual é a ordem de formação dos centros vitais pelo princípio inteligente no seu corpo espiritual?*

— Sabemos que a formação dos centros vitais começou com as primeiras manifestações da plasmocinese nas células, sob a orientação das Inteligências superiores; contudo, não dispomos ainda de particularidades técnicas para penetrar nesse domínio da ciência ontogenética.

— *Como se processa a exteriorização dos centros vitais?*

— Associando conhecimento magnético e sublimação espiritual, os cientistas humanos chegarão, por si próprios, à realização referida, como já atingiram noções preciosas quanto à regressão da memória e exteriorização da sensibilidade.

— *Qual a importância da relação existente entre o baço e o centro esplênico, se o baço pode ser extirpado sem maiores prejuízos à continuação da existência do encarnado?*

— Compreendamos que a extirpação do baço em sua expressão física, no corpo carnal, não significa a anulação desse órgão no corpo espiritual e que, interligado a outras fontes de formação sanguínea no sistema hematopoético, prossegue funcionando, mesmo que imperfeitamente, no campo somático, atento às articulações do binário mente–corpo.

— *Como compreenderemos a situação dos centros vitais no caso dos "ovoides"?*

— Entendereis facilmente a posição dos centros vitais do corpo espiritual, restritos na "ovoidização" — apesar de não terdes elementos terminológicos que a exprimam —, pensando na semente minúscula que encerra dentro dela os princípios organogênicos da árvore em que se converterá de futuro.

Uberaba, 23-4-1958.

4
Linhas morfológicas dos desencarnados

2.4.1 — *A que diretrizes obedecem as entidades desencarnadas para se apresentarem morfologicamente?*

— As linhas morfológicas das entidades desencarnadas, no conjunto social a que se integram, são comumente aquelas que trouxeram do mundo, a evoluírem, contudo, constantemente para melhor apresentação, toda vez que esse conjunto social se demore em esfera de sentimentos elevados.

A forma individual em si obedece ao reflexo mental dominante, notadamente no que se reporta ao sexo, mantendo-se a criatura com os distintivos psicossomáticos de homem ou de mulher, segundo a vida íntima pela qual se mostra com qualidades espirituais acentuadamente ativas ou passivas. Fácil observar, assim, que a desencarnação libera todos os Espíritos de feição masculina ou feminina que estejam na reencarnação em condição inversiva atendendo a provação necessária ou a tarefa específica, porquanto, fora do arcabouço físico, a mente se exterioriza no veículo espiritual com a admirável precisão de controle espontâneo sobre as células sutis que o constituem.[26]

Ainda assim, releva observar que se o progresso mental não é positivamente acentuado, mantém a personalidade desencarnada, nos planos inferiores, por tempo indefinível, a plástica que lhe era própria entre os homens. E, nos planos relativamente superiores, sofre processos de metamorfose, mais lentos ou mais rápidos, conforme as suas disposições íntimas.

2.4.2

Se a alma desenleada do envoltório físico foi transferida para a moradia espiritual em adiantada senectude, gastará algum tempo para desfazer-se dos sinais de ancianidade corpórea, se deseja remoçar o próprio aspecto, e, na hipótese de haver partido da Terra na juventude primeira, deverá igualmente esperar que o tempo a auxilie, caso se proponha a obtenção de traços da madureza.

Cabe, entretanto, considerar que isso ocorre apenas com os Espíritos, aliás em maioria esmagadora, que ainda não dispõem de bastante aperfeiçoamento moral e intelectual, pois quanto mais elevado se lhes descortine o degrau de progresso, mais amplo se lhes revela o poder plástico sobre as células que lhes entretecem o instrumento de manifestação. Em alto nível, a Inteligência opera em minutos certas alterações que as entidades de cultura mediana gastam, por vezes, alguns anos a efetuar.

Temos também nas sociedades respeitáveis da Espiritualidade aqueles companheiros que, depois de estágios depurativos, se elevam até elas, por intercessões afetivas ou merecimentos próprios, carregando consigo, porém, determinadas

---

[26] Nota do autor espiritual: Devemos esclarecer que essas ocorrências, para efeito de responsabilidade cármica e identificação pessoal, respeitam, via de regra, a ficha individual da existência última vivida pela personalidade na Terra, situação que perdura até novo estágio evolutivo que se processa, seja na reencarnação, seja na promoção a mais alto nível de sublimação e serviço.

marcas deprimentes, como sejam mutilações que os desfiguram, inibições ou moléstias que se denunciam na psicosfera que os envolve, ou distintivos outros menos dignos, como remanescentes de circuitos mentais dos remorsos que padeceram, a se lhes concentrarem, desequilibrados, sobre certas zonas do corpo espiritual, mas, em todos esses casos, as entidades em lide ali se encontram, habitualmente, por períodos limitados de reeducação e refazimento, para regressarem, a tempo breve, no rumo das sendas de saneamento e resgate nas reencarnações redentoras.

Pedro Leopoldo, 27-4-1958.

5
Apresentação dos desencarnados

— *Que princípios regem a apresentação dos Espíritos desencarnados aos médiuns humanos?*   2.5.1

— O aspecto que as entidades desencarnadas assumem perante os médiuns humanos, quando se comunicam na Terra, pode variar infinitamente.

Os Espíritos superiores, pelo domínio natural que exercem sobre as células psicossomáticas, podem adotar a apresentação que mais proveitosa se lhes afigure, com vistas à obra meritória que se propõem realizar.

Entretanto, essa maneira de intercâmbio não é a mais comum, porque, de modo geral, os desencarnados impressionam os instrumentos mediúnicos encarnados na forma em que efetivamente se encontram.

2.5.2   Decerto, não falta indumentária digna às criaturas que se emanciparam do vaso físico, roupagem, toda ela, confeccionada com esmero e carinho por mãos hábeis e nobres da esfera extrafísica.

É importante considerar, todavia, que os Espíritos desencarnados, mesmo os de classe inferior, guardam a faculdade de exteriorizar os fluidos plasticizantes que lhes são peculiares, espécie de aglutininas mentais com que envolvem a mente mediúnica encarnada, recursos esses nos quais plasmam, como lhes seja possível, as imagens que desejam expressar e que adquirem, para as percepções do médium, coloração e movimento, fazendo-o exprimir-se ou agir em comportamento semelhante ao passivo comum na hipnose provocada. Tais fenômenos, porém, são isolados e apenas se verificam entre o médium e a entidade que o influencia, sem substância na realidade prática, qual ocorre no campo das sugestões, durante a interligação mento-psíquica, entre o hipnotizado e o hipnotizador.

— Como interpretaremos a existência de roupas, calçados e peças protéticas nas entidades desencarnadas se tais petrechos são inanimados, não sendo dirigidos de modo direto pela mente?

— A mente não comanda as moléculas de algodão do vestuário de que se serve no corpo físico, mas pode usá-las segundo as suas necessidades no mundo.

Ocorre o mesmo no Plano Espiritual, em que nos utilizamos das possibilidades ao nosso alcance para atender a esse ou àquele imperativo de nossa apresentação.

Uberaba, 30-4-1958.

6
Justiça na espiritualidade

— *Como atua o mecanismo da Justiça no Plano Espiritual?* 2.6.1

— No Mundo Espiritual, decerto, a autoridade da Justiça funciona com maior segurança, embora saibamos que o mecanismo da regeneração vige, antes de tudo, na consciência do próprio indivíduo.

Ainda assim, existem aqui, como é natural, santuários e tribunais em que magistrados dignos e imparciais examinam as responsabilidades humanas, sopesando-lhes os méritos e deméritos.

A organização do júri, em numerosos casos, é aqui observada, porém, necessariamente constituída de Espíritos integrados no conhecimento do Direito, com dilatadas noções de culpa e resgate, erro e corrigenda, psicologia humana e ciências sociais, a fim de que as sentenças ou informações proferidas se atenham à precisa harmonia, perante a Divina Providência, consubstanciada no amor que ilumina e na sabedoria que sustenta.

2.6.2 Há delinquentes tanto no plano terrestre quanto no Plano Espiritual, e, em razão disso, não apenas os homens recentemente desencarnados são entregues a julgamento específico, sempre que necessário, mas também as entidades desencarnadas que, no cumprimento de determinadas tarefas, se deixam, muitas vezes, arrastar a paixões e caprichos inconfessáveis.

É importante observar, contudo, que quanto mais baixo é o grau evolutivo dos culpados, mais sumário é o julgamento pelas autoridades cabíveis, e quanto mais avançados os valores culturais e morais do indivíduo, mais complexo é o exame dos processos de criminalidade em que se emaranham, não só pela influência com que atuam nos destinos alheios, como também porque o Espírito, quando ajustado à consciência dos próprios erros, ansioso de reabilitar-se perante a vida e diante daqueles que mais ama, suplica por si mesmo a sentença punitiva que reconhece indispensável à própria restauração.

Pedro Leopoldo, 11-5-1958.

7
Vida social dos desencarnados

— *Como se apresenta a vida social dos Espíritos desencarnados?* 2.7.1

— No Plano Espiritual imediato à experiência física, as sociedades humanas desencarnadas, em quase dois terços, permanecem naturalmente jungidas, de alguma sorte, aos interesses terrenos.

Egressas do próprio mundo em que se lhes tramam os elos da retaguarda, quando não se desvairam nas faixas infernais, igualmente imanizadas ao planeta de que se originam, trabalham com ardor não só pelo próprio adiantamento, como também no auxílio aos que ficaram.

Naturalmente as almas que constituem a percentagem a que nos referimos, distanciadas ainda do aprimoramento ideal, procuram aperfeiçoar em si mesmas as qualidades nobres menos desenvolvidas, buscando clima adequado que lhes favoreça o trabalho.

2.7.2   Convictas de que tornarão à Terra para a solução dos problemas que lhes enevoam ou afligem o campo íntimo, situam-se em tarefas obscuras junto aos semelhantes, encarnados ou desencarnados, quando se reconhecem vitimadas pela vaidade ou pelo orgulho que ainda lhes medram no seio, e localizam-se em aprendizados valiosos da inteligência, vendo-se inábeis para os serviços especializados do pensamento, não obstante os talentos sentimentais que já entesourem consigo.

Quase todas, no entanto, obedecem aos ditames do amor ou do ideal que lhes inspiram a consciência.

Aglutinam-se em verdadeiras cidades e vilarejos, com estilos variados, como acontece aos burgos terrestres, característicos da metrópole ou do campo, edificando largos empreendimentos de educação e progresso em favor de si mesmas e em benefício dos outros.

As regiões purgativas ou simplesmente infernais são por elas amparadas, quanto possível, organizando-se aí, sob o seu patrocínio, extensa obra assistencial.

No plano físico, a equipe doméstica atende à consanguinidade em que o vínculo é obrigatório, mas, no Plano Extrafísico, o grupo familiar obedece à afinidade em que o liame é espontâneo.

Por isso mesmo, na esfera seguinte à condição humana, temos o *espaço das nações*, com as suas comunidades, idiomas, experiências e inclinações, inclusive organizações religiosas típicas, junto das quais funcionam missionários de libertação mental, operando com caridade e discrição para que as ideias renovadoras se expandam sem dilaceração e sem choque.

Com esses dois terços de criaturas ainda ligadas, desse ou daquele modo, aos núcleos terrenos, encontramos um terço de Espíritos relativamente enobrecidos que se transformam em condutores da marcha ascensional dos companheiros, pelos méritos com que se fazem segura instrumentação das esferas superiores.

Uberaba, 14-5-1958.

8
Matrimônio e divórcio

2.8.1 — *Poderíamos receber algumas noções acerca do matrimônio, bem como do divórcio no plano físico, examinados espiritualmente?*

— Nas esferas elevadas, as almas superiores identificam motivo de honra no serviço de amparo aos companheiros menos evoluídos que estagiam nos planos inferiores.

Não podemos olvidar que, na Terra, o matrimônio pode assumir aspectos variados, objetivando múltiplos fins. Em razão disso, acidentalmente, o homem ou a mulher encarnados podem experimentar o casamento terrestre diversas vezes, sem encontrar a companhia das almas afins com as quais realizariam a união ideal. Isso porque, comumente, é preciso resgatar essa ou aquela dívida que contraímos com a energia sexual aplicada de maneira infeliz ante os princípios de causa e efeito.

Entretanto, se o matrimônio expiatório ocorre em núpcias secundárias, o cônjuge liberado da veste física, quando se ajuste à afeição nobre, frequentemente se coloca a serviço da companheira ou do companheiro na retaguarda, no que exercita a compreensão e o amor puro. Quanto à reunião no Plano Espiritual, é razoável se mantenha aquela em que prevaleça a conjunção dos semelhantes, no grau mais elevado da escala de afinidades eletivas. Se os viúvos e as viúvas das núpcias efetuadas em grau menor de afinidade demonstram sadia condição de entendimento, são habitualmente conduzidos, depois da morte, ao convívio do casal restituído à comunhão, desfrutando posição análoga à dos filhos queridos junto dos pais terrenos, que por eles se submetem aos mais eloquentes e multifários testemunhos de carinho e sacrifício pessoal para que atendam, dignamente, à articulação dos próprios destinos.

2.8.2 Contudo, se a desesperação do ciúme ou a nuvem do despeito enceguecem esse ou aquele membro da equipe fraterna, os cônjuges reassociados no Plano Superior amparam-lhe a reencarnação, à maneira de benfeitores ocultos, interpretando-lhes a rebelião por sintoma enfermiço, sem lhes retirar o apoio amigo até que se reajustem no tempo.

Ninguém veja nisso inovação ou desrespeito ao sentimento alheio, porquanto o lar terrestre enobrecido, se analisado sem preconceitos, permanece estruturado nessas mesmas bases essenciais, uma vez que os pais humanos recebem, muitas vezes, no instituto doméstico, por filhos e filhas, aqueles mesmos laços do passado, com os quais atendem ao resgate de antigas contas, purificando emoções, renovando impulsos, partilhando compromissos ou aprimorando relações afetivas de alma para alma. É nessa condição que em muitas circunstâncias surgem nas entidades renascentes, sem que o véu da reencarnação lhes esconda de todo a memória, as psiconeuroses e fixações infantojuvenis, cuja importância na conduta sexual da personalidade é exagerada em excesso pelos sexólogos e psicanalistas da atualidade, carentes de mais amplo contato com as realidades do Espírito e da reencarnação, que lhes permitiriam ministrar aos seus pacientes mais efetivo socorro de ordem moral.

2.8.3 Quanto ao divórcio, segundo os nossos conhecimentos no Plano Espiritual, somos de parecer não deva ser facilitado ou estimulado entre os homens, porque não existem na Terra uniões conjugais, legalizadas ou não, sem vínculos graves no princípio da responsabilidade assumida em comum.

Mal saídos do regime poligâmico, os homens e as mulheres sofrem-lhe ainda as sugestões animalizantes e, por isso mesmo, nas primeiras dificuldades da tarefa a que foram chamados, costumam desertar dos postos de serviço em que a vida os situa, alegando imaginárias incompatibilidades e supostos embaraços, quase sempre simplesmente atribuíveis ao desregrado narcisismo de que são portadores. E com isso exercem viciosa tirania sobre o sistema psíquico do companheiro ou da companheira mutilados ou doentes, necessitados ou ignorantes, após explorar-lhes o mundo emotivo, quando não se internam pelas aventuras do homicídio ou do suicídio espetaculares, com a fuga voluntária de obrigações preciosas.

É imperioso, assim, que a sociedade humana estabeleça regulamentos severos em benefício dos nossos irmãos contumazes na infidelidade aos compromissos assumidos consigo próprios, em benefício deles, para que se não agreguem a maior desgoverno, e em benefício de si mesma, a fim de que não regresse à promiscuidade aviltante das tabas obscuras, em que o princípio e a dignidade da família ainda são plenamente desconhecidos.

Entretanto, é imprescindível que o sentimento de Humanidade interfira nos casos especiais, em que o divórcio é o mal menor que possa surgir entre os grandes males pendentes sobre a fronte do casal, sabendo-se, porém, que os devedores de hoje voltarão amanhã ao acerto das próprias contas.

Pedro Leopoldo, 18-5-1958.

9
Separação entre cônjuges espirituais

— *Ocorre separação entre cônjuges espirituais?* 2.9.1

— Pode acontecer, por exemplo, que as autoridades superiores escolham um dos cônjuges para serviço particular entre os homens, atendendo a qualidades especiais que possua e com que deva satisfazer a questões e eventualidades terrestres. Além disso, esse ou aquele cônjuge, após venturoso estágio na Esfera Superior, necessita regressar aos círculos carnais para experiências difíceis no resgate de compromissos determinados.

Em ambas as modalidades de separação compreensível e justa, o companheiro ou a companheira em condição de superioridade, pelo menos circunstancialmente, roga, com êxito, a possibilidade de custodiar o objeto de sua veneração e de seu carinho, quase sempre na posição de reencarnados em regime de completa renúncia.

Uberaba, 21-5-1958.

10
Disciplina afetiva

2.10.1 — *Em que bases se verifica a disciplina afetiva nas sociedades espirituais das esferas superiores?*

— Enganam-se lamentavelmente quantos possam admitir a incontinência sexual como regra de conduta nos planos superiores da Espiritualidade.

Médiuns que tenham observado as regiões de licenciosidade, ou desencarnados que a respeito delas venham a traçar essa ou aquela notícia, reportam-se apenas a lugares naturalmente inferiores, extremamente afins com a poligamia que embrutece, por mais brilhantes se lhes externem as conceituações filosóficas.

Nos planos enobrecidos, realiza-se também o casamento das almas, conjugadas no amor puro, verdadeira união esponsalícia de caráter santificante, gerando obras admiráveis de progresso e beleza, na edificação coletiva,[27] e quando semelhante enlace deva ser adiado, por circunstâncias inamovíveis, os Espíritos de comportamento superior aceitam, na Terra, a luta pela sublimação das forças genésicas, aplicando-as em trabalho digno, com abstenção do comércio poligâmico, tanto mais intensamente quanto mais ativo se lhes revele o esforço no acrisolamento próprio.

Aliás, cabe considerar que na renúncia construtiva a que se entregam, na expectativa, às vezes longa, do amor que os integrará na complementação desejada, encontram, no serviço aos semelhantes, preciosas oportunidades de burilamento e progresso, acentuando em si mesmos os altos valores da cultura e da emoção, que lhes propiciam gozos íntimos dos mais alevantados e mais puros.

2.10.2

Pedro Leopoldo, 25-5-1958.

---

[27] N.E.: Para mais clara compreensão do delicado assunto que André Luiz ora focaliza, pedimos ao leitor reler com atenção, o livro *Missionários da luz*, recebido mediunicamente por Francisco Cândido Xavier.

11
Conduta afetiva

2.11.1 — *Qual é a conduta afetiva entre as almas enobrecidas?*

— Quanto mais elevado o grau de aprimoramento da alma, mais reclamará espontaneamente de si própria a necessária disciplina das energias do mundo afetivo, somente despendendo-as no circuito de forças em que se completa com a alma a que se encontra consorciada, ou, então, em serviço nobre, por meio do qual opere a evasão das cargas magnéticas de seus impulsos genésicos, transferindo-as para o trabalho em que se lhe projetam a sensibilidade e a inteligência.

Isso acontece no plano físico, entre aqueles cujo sistema psíquico já se distanciou suficientemente das emoções vulgares, ajustando-se em complementação fluídica ideal as almas irmãs que se matrimoniam.

Interrompida a aliança física na esfera carnal, por interferência da morte, o homem ou a mulher, consagrados à sublimação íntima, se associam, quase sempre, à companheira ou ao companheiro levados à viuvez, em construtivas simbioses de ação, seja no amparo aos filhos, ainda necessitados de assistência, ou na extensão de obras edificantes, porquanto os Espíritos que verdadeiramente se amam desconhecem o que seja abandono ou esquecimento.

Atentos ao mesmo princípio de aprimoramento, aqueles que se ajustam em matrimônio superior, no Plano Espiritual, permutam as próprias forças em constante circuito energético, pelo qual atendem a vastíssimas obras de benemerência, na criação mental de valores necessários ao progresso comum, dentro da euforia permanente que o amor sublime lhes confere. E, faltando-lhes a companhia, por intermédio da qual se integram nos mais altos ideais de burilamento e beleza, mobilizam as próprias cargas magnéticas criadoras em serviço à coletividade, com o que se elevam mais intensamente na escala da sublimação moral, ou então — o que é mais frequente —, buscam olvidar as próprias possibilidades de maior ascensão, solicitando posições apagadas e humildes ao pé daqueles a quem se devotam, a fim de ajudá-los na execução das tarefas que lhes foram assinaladas ou no pagamento das dívidas com que ainda se oneram perante a Lei. 2.11.2

Uberaba, 28-5-1958.

12
Diferenciação dos sexos

2.12.1 — *Como se iniciou a diferenciação dos sexos?*

— Os princípios espirituais, nos primórdios da organização planetária, traziam, na constituição que lhes era própria, a condição que poderemos nomear por "teor de força", expressando qualidades predominantes ativas ou passivas. E entendendo-se que a evolução é sempre sustentada pelas Inteligências superiores, em movimentação ascendente, desde as primeiras horas da reprodução sexuada começou, sob a direção delas, a formação dos órgãos masculinos e femininos que culminaram morfologicamente nas províncias genésicas do homem e da mulher da atualidade.

Não podemos esquecer, porém, que o trabalho evolutivo no aperfeiçoamento fisiológico das criaturas terrestres ainda não foi terminado, prosseguindo, como é natural, no espaço e no tempo.

Quanto à perda dos característicos sexuais, estamos informados de que ocorrerá, espontaneamente, quando as almas humanas tiverem assimilado todas as experiências necessárias à própria sublimação, rumando, após milênios de burilamento, para a situação angélica, em que o indivíduo deterá todas as qualidades nobres inerentes à masculinidade e à feminilidade, refletindo em si, nos degraus avançados da perfeição, a glória divina do Criador.

É imperioso reconhecer, contudo, que não podemos, ainda, em nossa posição evolutiva, formular qualquer pensamento concreto acerca da Natureza e dos atributos dos anjos, nem ajuizar quanto ao sistema de relações que cultivam entre si.

2.12.2

Pedro Leopoldo, 1-6-1958.

13
Gestação frustrada

2.13.1 — *Como compreenderemos os casos de gestação frustrada quando não há Espírito reencarnante para arquitetar as formas do feto?*

— Em todos os casos em que há formação fetal, sem que haja a presença de entidade reencarnante, o fenômeno obedece aos moldes mentais maternos.

Dentre as ocorrências dessa espécie há, por exemplo, aquelas nas quais a mulher, em provação de reajuste do centro genésico, nutre habitualmente o vivo desejo de ser mãe, impregnando as células reprodutivas com elevada percentagem de atração magnética, pela qual consegue formar, com o auxílio da célula espermática, um embrião frustrado que se desenvolve, mesmo que inutilmente, na medida de intensidade do pensamento maternal, que opera, por meio de impactos sucessivos, condicionando as células do aparelho reprodutor, que lhe respondem aos apelos segundo os princípios de automatismo e reflexão. Em contrário, há, por exemplo, os casos em que a mulher, por recusa deliberada à gravidez de que já se acha possuída, expulsa a entidade reencarnante nas primeiras semanas de gestação, desarticulando os processos celulares da constituição fetal e adquirindo, por semelhante atitude, constrangedora dívida perante a Lei.

Uberaba, 4-6-1958.

14
Aborto criminoso

2.14.1 — *Reconhecendo-se que os crimes do aborto provocado criminosamente surgem, em esmagadora maioria, nas classes mais responsáveis da comunidade terrestre, como identificar o trabalho expiatório que lhes diz respeito, se passam quase totalmente despercebidos da justiça humana?*

— Temos no plano terrestre cada povo com o seu código penal apropriado à evolução em que se encontra, mas, considerando o Universo em sua totalidade como Reino Divino, vamos encontrar o bem do Criador para todas as criaturas, como Lei básica, cujas transgressões deliberadas são corrigidas no próprio infrator, com o objetivo natural de conseguir-se, em cada círculo de trabalho no campo cósmico, o máximo de equilíbrio com o respeito máximo aos direitos alheios, dentro da mínima cota de pena.

Atendendo-se, no entanto, a que a Justiça perfeita se eleva, indefectível, sobre o perfeito Amor, no hausto de Deus "em que nos movemos e existimos", toda reparação, perante a Lei básica a que nos reportamos, se realiza em termos de vida eterna, e não segundo a vida fragmentária que conhecemos na encarnação humana, porquanto uma existência pode estar repleta de acertos e desacertos, méritos e deméritos, e a misericórdia do Senhor preceitua não que o delinquente seja flagelado, com extensão indiscriminada de dor expiatória, o que seria volúpia de castigar nos tribunais do destino, invariavelmente regidos pela Equidade soberana, mas sim que o mal seja suprimido de suas vítimas, com a possível redução do sofrimento.

Desse modo, segundo o princípio universal do Direito cósmico a expressar-se, claro, no ensinamento de Jesus que manda conferir "a cada um de acordo com as próprias obras", arquivamos em nós as raízes do mal que acalentamos, para extirpá-las à custa do esforço próprio, em companhia daqueles que se nos afinem à faixa de culpa, com os quais, perante a Justiça Eterna, os nossos débitos jazem associados.   2.14.2

Em face de semelhantes fundamentos, certa romagem na carne, entremeada de créditos e dívidas, pode terminar com aparências de regularidade irrepreensível para a alma que desencarna, sob o apreço dos que lhe comungam a experiência, seguindo-se de outra em que essa mesma criatura assuma a empreitada do resgate próprio, suportando nos ombros as consequências das culpas contraídas diante de Deus e de si mesma, a fim de reabilitar-se ante a harmonia divina, caminhando, assim, transitoriamente, ao lado de Espíritos incursos em regeneração da mesma espécie.

É dessa forma que a mulher e o homem acumpliciados nas ocorrências do aborto delituoso, mas principalmente a mulher, cujo grau de responsabilidade nas faltas dessa Natureza é muito maior, à frente da vida que ela prometeu honrar com nobreza, na maternidade sublime, desajustam as energias psicossomáticas, com mais penetrante desequilíbrio do centro genésico, implantando nos tecidos da própria alma a sementeira de males que frutescerão, mais tarde, em regime de produção a tempo certo.

2.14.3   Isso ocorre não somente porque o remorso se lhes entranhe no ser, à feição de víbora magnética, mas também porque assimilam, inevitavelmente, as vibrações de angústia e desespero e, por vezes, de revolta e vingança dos Espíritos que a Lei lhes reservara para filhos do próprio sangue, na obra de restauração do destino.

No homem, o resultado dessas ações aparece, quase sempre, em existência imediata àquela na qual se envolveu em compromissos desse jaez, na forma de moléstias testiculares, disendocrinias diversas, distúrbios mentais, com evidente obsessão por parte de forças invisíveis emanadas de entidades retardatárias que ainda encontram dificuldade para exculpar-lhes a deserção.

Nas mulheres, as derivações surgem extremamente mais graves. O aborto provocado, sem necessidade terapêutica, revela-se matematicamente seguido por choques traumáticos no corpo espiritual, tantas vezes quantas se repetir o delito de lesa-maternidade, mergulhando as mulheres que o perpetram em angústias indefiníveis, além da morte, uma vez que, por mais extensas se lhes façam as gratificações e os obséquios dos Espíritos amigos e benfeitores que lhes recordam as qualidades elogiáveis, mais se sentem diminuídas moralmente em si mesmas, com o centro genésico desordenado e infeliz, assim como alguém indebitamente admitido num festim brilhante, carregando uma chaga que a todo instante se denuncia.

Dessarte, ressurgem na vida física, externando gradativamente, na tessitura celular de que se revestem, a disfunção que podemos nomear como a miopraxia do centro genésico atonizado, padecendo, logo que reconduzidas ao curso da maternidade terrestre, as toxemias da gestação. Dilapidado o equilíbrio do centro referido, as células ciliadas, mucíparas e intercalares não dispõem da força precisa na mucosa tubária para a condução do óvulo na trajetória endossalpingeana, nem para alimentá-lo no impulso da migração por deficiência hormonal do ovário, determinando não apenas os fenômenos da prenhez ectópica ou localização heterotópica do ovo, mas também certas síndromes hemorrágicas de suma importância, decorrentes da nidação do ovo fora do endométrio ortotópico, ainda mesmo quando já esteja acomodado na concha uterina, trazendo habitualmente os embaraços da placentação baixa ou a placenta prévia hemorragípara que constituem, na parturição, verdadeiro suplício para as mulheres portadoras do órgão germinal em desajuste.

  Enquadradas na arritmia do centro genésico, outras alterações orgânicas aparecem, flagelando a vida feminina, como sejam o descolamento da placenta eutópica, por hiperatividade histolítica da vilosidade corial; a hipocinesia uterina, favorecendo a germicultura do estreptococo ou do gonococo, depois das crises endometríticas puerperais; a salpingite tuberculosa; a degeneração cística do cório; a salpingo-oforite, em que o edema e o exsudato fibrinoso provocam a aderência das pregas da mucosa tubária, preparando campo propício às grandes inflamações anexiais, em que o ovário e a trompa experimentam a formação de tumores purulentos que os identificam no mesmo processo de desagregação; as síndromes circulatórias da gravidez aparentemente normal, quando a mulher, no pretérito, viciou também o centro cardíaco, em consequência do aborto calculado e seguido por disritmia das forças psicossomáticas que regulam o eixo elétrico do coração, ressentindo-se, como resultado, na nova encarnação e em pleno surto de gravidez, da miopraxia do aparelho cardiovascular, com aumento da carga plasmática na corrente sanguínea, por deficiência no

2.14.4

orçamento hormonal, daí resultando graves problemas da cardiopatia consequente.

2.14.5   Temos ainda a considerar que a mulher sintonizada com os deveres da maternidade na primeira ou, às vezes, até na segunda gestação, quando descamba para o aborto criminoso, na geração dos filhos posteriores, inocula automaticamente no centro genésico e no centro esplênico do corpo espiritual as causas sutis de desequilíbrio recôndito, a se lhe evidenciarem na existência próxima pela vasta acumulação do antígeno que lhe imporá as divergências sanguíneas com que asfixia, gradativamente, por meio da hemólise, o rebento de amor que alberga carinhosamente no próprio seio, a partir da segunda ou terceira gestação, porque as enfermidades do corpo humano, como reflexos das depressões profundas da alma, ocorrem dentro de justos períodos etários.

Além dos sintomas que abordamos em sintética digressão na etiopatogenia das moléstias do órgão genital da mulher, surpreenderemos largo capítulo a ponderar no campo nervoso, em face da hiperexcitação do centro cerebral, com inquietantes modificações da personalidade, a raiarem, muitas vezes, no martirológio da obsessão, devendo-se ainda salientar o caráter doloroso dos efeitos espirituais do aborto criminoso para os ginecologistas e obstetras delinquentes.

— *Para melhorar a própria situação, que deve fazer a mulher que se reconhece, na atualidade, com dívidas no aborto provocado, antecipando-se, desde agora, no trabalho da sua própria melhoria moral, antes que a próxima existência lhe imponha as aflições regenerativas?*

— Sabemos que é possível renovar o destino todos os dias.

Quem ontem abandonou os próprios filhos pode hoje afeiçoar-se aos filhos alheios, necessitados de carinho e abnegação.

O próprio Evangelho do Senhor, na palavra do apóstolo Pedro, adverte-nos quanto à necessidade de cultivarmos ardente caridade uns para com os outros, porque a caridade cobre a multidão de nossos males.[28]

2.14.6

Pedro Leopoldo, 8-6-1958.

---

[28] Nota do autor espiritual: I PEDRO, 4:8.

15
Passe magnético

2.15.1 — *Como podemos encarar o passe magnético no campo espírita, do ponto de vista da medicina humana?*

— Em verdade, para conseguirmos alguma ideia precisa no dicionário terreno, com respeito ao poder do fluido magnético, que constitui por si emanação controlada de força mental sob a alavanca da vontade, será interessante figurar o nosso veículo de manifestação como o Estado orgânico em que nos expressamos na condição de Espíritos imortais, em multifária graduação evolutiva.

Semelhante esfera celular, para a nossa conceituação mais simples na técnica fraseológica das criaturas encarnadas,[29] pode ser dividida em duas partes essenciais — o hemisfério visível ou campo somático e o hemisfério por enquanto invisível na Terra ao sensório comum ou campo psicossomático.

---
[29] Nota do autor espiritual: Definição somente aplicável no plano físico mais denso.

No primeiro, temos o comboio fisiológico tangível, capaz de 2.15.2
oferecer positivos elementos de estudo à perquirição histológica.

No segundo, encontramos o perispírito da definição kardequiana, ou corpo espiritual, que preside a todas as formações do cosmo físico.

Observando, assim, o carro de exteriorização da inteligência por um Estado orgânico, perfeitamente estruturado em sua base e comportamento, é fácil interpretar-lhe os órgãos como províncias diferenciadas entre si, não obstante conjugadas em sintonia de ação para os mesmos fins, e apreciar-lhe os milhões de células como entidades microscópicas em comunidades distintas, como *povos infinitesimais* a se caracterizarem por atividades específicas.

Representando o sistema hemático, no corpo humano, o conjunto das energias circulantes no psicossoma, energias essas tomadas pela mente, por meio da respiração, ao infinito reservatório do Fluido Cósmico, é para ele que devemos voltar a maior atenção, uma vez que se encontra intimamente associado ao estímulo nervoso ou aparelho de comunicação entre o governo do Estado simbólico a que nos referimos e suas províncias e cidadãos — os órgãos e as células.

Correspondendo a centros vitais do perispírito — que não podemos entender agora, por ausência de terminologia adequada entre os homens —, temos o eritrônio, o leucocitônio e o trombônio, tanto quanto o sistema retículo-endotelial e os gânglios linfáticos, dando nascimento, no plasma sanguíneo, às coletividades corpusculares das hemácias, dos leucócitos, dos trombócitos, dos macrófagos e dos linfócitos a se dividirem pelas famílias numerosas, em trabalho incessante, desde as usinas geratrizes do baço e da medula óssea, do fígado e dos gânglios, até o estroma dos órgãos.

Reconhecendo-se a capacidade do fluido magnético para que as criaturas se influenciem reciprocamente, com muito mais amplitude e eficiência atuará ele sobre as entidades celulares do Estado orgânico — particularmente as sanguíneas e as histiocitárias —, determinando-lhes o nível satisfatório, a migração ou a extrema mobilidade, a fabricação de anticorpos ou, ainda, a improvisação de outros recursos combativos e imunológicos, na defesa contra as invasões bacterianas e na redução ou extinção dos processos patogênicos, por intermédio de ordens automáticas da consciência profunda.

2.15.3 Toda queda moral nos seres responsáveis opera certa lesão no hemisfério psicossomático ou perispírito, a refletir-se em desarmonia no hemisfério somático ou veículo carnal, provocando determinada causa de sofrimento.

A dor, portanto, dessa ou daquela forma, é sempre uma situação de alarme ou emergência, mais ou menos durável no império orgânico, requisitando o socorro externo da medicina do corpo ou da alma, na execução do alívio ou da cura.

Pelo passe magnético, no entanto, notadamente naquele que se baseie no divino manancial da prece, a vontade fortalecida no bem pode soerguer a vontade enfraquecida de outrem para que essa vontade novamente ajustada à confiança magnetize naturalmente os milhões de agentes microscópicos a seu serviço, a fim de que o Estado orgânico, nessa ou naquela contingência, se recomponha para o equilíbrio indispensável.

Assim é que orar em nosso favor é atrair a força divina para a restauração de nossas forças humanas, e orar em benefício dos outros ou ajudá-los, por meio da energia magnética, à disposição de todos os espíritos que desejem realmente servir, será sempre assegurar-lhes as melhores possibilidades de autorreajustamento, compreendendo-se, porém, que se o amor consola, instrui, ameniza, levanta, recupera e redime, todos estamos condicionados à justiça a que voluntariamente nos rendemos, perante a vida eterna, justiça que preceitua, conforme o ensinamento de nosso

Senhor Jesus Cristo, seja dado isso ou aquilo "a cada um segundo as suas próprias obras", cabendo-nos recordar que as obras felizes ou menos felizes podem ser fruto de nossa orientação todos os dias e, por isso mesmo, todos os dias será possível alterar o rumo de nosso próprio roteiro.

— *Qual a velocidade da emissão fluídica de um passe?*   2.15.4

— A questão envolve, na base, o estudo da partícula do pensamento, em sua composição de estrutura e potencial, para o que ainda não possuímos qualquer recurso nas definições humanas.

Uberaba, 11-6-1958.

16
Determinação de sexo

2.16.1 — *Como devemos encarar a possibilidade de a ciência humana patrocinar a determinação de sexo no início da gestação?*

— Compreendendo-se que nos vertebrados o desenho gonadal se reveste de potencialidades bissexuais no começo da formação, é claramente possível a intervenção da ciência terrestre na determinação do sexo na primeira fase da vida embrionária; contudo, importa considerar que semelhante ingerência na esfera dos destinos humanos traria consequências imprevisíveis à organização moral entre as criaturas, porque essa atuação indébita se verificaria apenas no campo morfológico, impondo talvez inversões desnecessárias e imprimindo graves complicações ao foro íntimo de quantos fossem submetidos a tais processos de experimentação, positivamente contrários à inteligência da vida que reflete a sabedoria de Deus.

Pedro Leopoldo, 15-6-1958.

17
Desencarnação

— Podemos considerar a desencarnação da alma, em plena 2.17.1
infância, como uma punição das Leis Divinas, na maioria das vezes?

— Muitas existências são frustradas no berço não por simples punição externa da Lei Divina, mas porque a própria Lei Divina funciona em todos nós, desde que todos existimos no hausto do Criador.

Frequentemente, por meio do suicídio, integralmente deliberado, ou do próprio desregramento, operamos em nossa alma calamitosos desequilíbrios, quais tempestades ocultas, que desencadeamos, por teimosia, no campo da Natureza íntima.

Cargas venenosas, instrumentos perfurantes, projetis fulminatórios, afogamentos, enforcamentos, quedas calculadas de grande altura e multiformes viciações com que as criaturas responsáveis arruínam o próprio corpo ou o aniquilam, impondo-lhe a morte prematura, com plena desaprovação da consciência, determinam processos degenerativos e desajustes nos centros essenciais do psicossoma, notadamente naqueles que governam o córtex encefálico, as glândulas de secreção interna, a organização emotiva e o sistema hematopoético.

2.17.2   Ante o impacto da desencarnação provocada, semelhantes recursos da alma entram em pavoroso colapso, sob traumatismo profundo, para o qual não há termo correlato na diagnose terrestre.

Indescritíveis flagelações, que vão da inconsciência descontínua à loucura completa, senhoreiam essas mentes torturadas, por tempo variável, conforme as atenuantes e agravantes da culpa, induzindo as autoridades superiores a reinterná-las no plano carnal, quais enfermos graves, em celas físicas de breve duração, para que se reabilitem, gradativamente, com a justa cooperação dos Espíritos reencarnados, cujos débitos com eles se afinem.

Eis por que um golpe suicida no coração, acompanhado pelo remorso, causará comumente diátese hemorrágica, com perda considerável da protrombina do sangue, naqueles que renascem para tratamento de recuperação do corpo espiritual em distonia; o autoenvenenamento ocasionará, nas mesmas condições, deploráveis desarmonias nas regiões psicossomáticas correspondentes à medula vermelha, conturbando o nascimento das hemácias, tanto em sua evolução intravascular, dentro dos sinusoides, como também na sua constituição extravascular, no retículo, gerando as distrofias congênitas do eritrônio com hemopatias diversas; os afogamentos e enforcamentos, em identidade de circunstâncias, impõem naqueles que os provocam os fenômenos da incompatibilidade materno-fetal, em que os chamados fatores Rh, de modo geral, após a primeira gestação, permitem que a hemolisina alcance a fronteira placentária, sintonizando-se com a posição mórbida da entidade reencarnante, a se externarem na eritroblastose fetal, em suas variadas expressões; e o voluntário esfacelamento do crânio, a queda procurada de grande altura e as viciações do sentimento e do raciocínio estabelecem no veículo espiritual múltiplas ocorrências de arritmia cerebral, a se revelarem nos doentes renascituros, por meio da eclampsia e da tetania dos latentes, da hidrocefalia, da encefalite letárgica, das encefalopatias crônicas, da psicose epiléptica, da idiotia, do mongolismo e de várias doenças oriundas da insuficiência glandular.

Claro está que não relacionamos nessa sucinta apreciação os problemas do suicídio associado ao homicídio, os quais, muita vez, se fazem seguidos, em reencarnação posterior do infeliz, por lamentáveis reações, com a morte acidental ou violenta na infância, traduzindo estação inevitável no ciclo do resgate. 2.17.3

No que tange, porém, às moléstias mencionadas, surgem todas elas nos mais diferentes períodos, crestando a existência do veículo físico, via de regra, desde a vida *in utero* até os 18 e 20 anos de experiência recomeçante e, como vemos, são doenças secundárias, porquanto a etiologia que lhes é própria reside na estrutura complexa da própria alma.

Urge ainda considerar que todos os enfermos dessa espécie são conduzidos a outros enfermos espirituais — os homens e as mulheres que corromperam os próprios centros genésicos pela delinquência emotiva ou pelos crimes reiterados do aborto provocado, em existências do pretérito próximo, para que, servindo na condição de atendentes e guardiães de companheiros que também se conspurcaram perante a eterna Justiça, se recuperem, a seu turno, regenerando a si mesmos pelo amoroso devotamento com que lutam e choram, no amparo aos filhinhos condenados à morte, ou atormentados desde o berço.

Segundo observamos, portanto, as existências interrompidas, no alvorecer do corpo denso, raramente constituem balizas terminais de prova indispensável na senda humana, porque, na maioria dos sucessos em que se evidenciam, representam cursos rápidos de socorro ou tratamento do corpo espiritual desequilibrado por nossos próprios excessos e inconsequências, compelindo-nos a reconhecer, com o apóstolo Paulo,[30] que o nosso instrumento de manifestação, seja onde for, é templo da força divina, por intermédio do qual, associando corpo e alma, nos cabe a obrigação de aperfeiçoar-nos, aprimorando a vida, na exaltação constante a Deus.

2.17.4 — *Há casos de desencarnação estando o Espírito desdobrado, por exemplo, nas zonas umbralinas e o corpo em estado comatoso?*

— Isso pode acontecer perfeitamente, do ponto de vista da exteriorização do pensamento, porque Céu e Inferno, exprimindo equilíbrio e perturbação, alegria e dor, começam invariavelmente em nós mesmos.

— *Os Espíritos encarnados que sofreram desequilíbrio mental de alta expressão voltam imediatamente à lucidez espiritual após a desencarnação?*

— Isso nunca sucede, porquanto a perturbação dilatada exige a convalescença indispensável, cuja duração naturalmente varia com o grau de evolução do enfermo em reajuste.

Uberaba, 18-6-1958.

---

[30] Nota do autor espiritual: I CORÍNTIOS, 6:19 e 20.

18
Evolução e destino

— *O mal está determinado no conteúdo do nosso destino?* 2.18.1

— Ninguém nasce destinado ao mal, porque semelhante disposição derrogaria os fundamentos do Bem eterno sobre os quais se levanta a obra de Deus.

O Espírito renascente no berço terrestre traz consigo a provação expiatória a que deve ser conduzido ou a tarefa redentora que ele próprio escolheu de conformidade com os débitos contraídos.

Prevalece aí o mesmo princípio que vige para as sociedades terrestres, pelo qual, se o homem é malfeitor confesso, deve ser segregado em estabelecimento correcional adequado para a reeducação precisa, e, se é apenas aprendiz no campo da experiência, com dívidas e créditos, sem falta grave a resgatar, é justo possa pedir às autoridades superiores, que lhe presidem os movimentos, o gênero de trabalho ou de luta em que se sinta mais apto ao serviço de autoaperfeiçoamento. Entendamos, porém, que, se perpetrou delito passível de dolorosa punição, não é ele internado na penitenciária ou no trabalho reparador para que se desmande, deliberadamente, em delitos maiores, o que apenas lhe agravaria as culpas já formadas perante a Lei.

2.18.2   É natural que o devedor, nessa ou naquela forma de resgate, venha a sofrer fortes impulsos e recidivas no erro em que faliu, tanto maiores quão mais extenso lhe tenha sido o transviamento moral; entretanto, a provação deve ser assimilada como recurso de emenda, nunca por válvula de expansão das dívidas assumidas.

Desse modo, ninguém recebe do Plano Superior a determinação de ser relapso ou vicioso, madraço ou delinquente, com passagem justificada no latrocínio ou na dipsomania, no meretrício ou na ociosidade, no homicídio ou no suicídio. Padecemos, sim, nesse ou naquele setor da vida, durante a recapitulação de nossas próprias experiências, o impulso de enveredar por esse ou aquele caminho menos digno, mas isso constitui a influência de nosso passado em nós, instilando-nos a tentação, originariamente toda nossa, de tornar a ser o que já fomos, em contraposição ao que devemos ser.

— *Qual a relação percentual de tempo existente entre os estágios que o Espírito de elevação mediana vive como encarnado e como desencarnado?*

— A percentagem de tempo no Plano Espiritual para as criaturas de evolução mediana varia com o grau de aproveitamento de tempo no estágio recente que desfrutaram no corpo físico.

Quão mais vasta a provisão de conhecimento e maior a aquisição de virtudes por parte do Espírito, mais largo período desfruta na Esfera Superior para obtenção de mais nobres recursos para mais alta ascensão.

— *Poderíamos identificar algum elo da evolução que existe* 2.18.3
no Plano Extrafísico e que é desconhecido na Terra?

— Além do plano físico, a investigação humana encontrará material valioso de observação para elucidar os variados problemas concernentes à evolução do ser.

— *Ainda, na atualidade, os instrutores espirituais intervêm na melhoria das formas evolutivas inferiores nas quais o princípio inteligente estagia?*

— Sim, porque todos os campos da Natureza contam com agentes da Sabedoria Divina para a formação e expansão dos valores evolutivos.

— *Dentre todos os animais superiores abaixo do homem, qual é o detentor de mais dilatadas ideias-fragmentos?*

— O assunto demanda longo estudo técnico na esfera da evolução, porque há ideias-fragmentos de determinado sentido mais avançadas em certos animais que em outros. Ainda assim, nomearemos o cão e o macaco, o gato e o elefante, o muar e o cavalo como elementos de vossa experiência usual mais amplamente dotados de riqueza mental, como introdução ao pensamento contínuo.

Pedro Leopoldo, 22-6-1958.

19
Predisposições mórbidas

2.19.1 — *Como apreendermos a existência das predisposições mórbidas do corpo espiritual?*

— Não podemos olvidar que a imprudência e o ócio se responsabilizam por múltiplas enfermidades, como sejam os desastres circulatórios provenientes da gula, as infecções tomadas à carência de higiene, os desequilíbrios nervosos nascidos da toxicomania e a exaustão decorrente de excessos vários.

De modo geral, porém, a etiologia das moléstias perduráveis, que afligem o corpo físico e o dilaceram, guardam no corpo espiritual as suas causas profundas.

A recordação dessa ou daquela falta grave, mormente daquelas que jazem recalcadas no espírito, sem que o desabafo e a corrigenda funcionem por válvulas de alívio às chagas ocultas do arrependimento, cria na mente um estado anômalo que podemos classificar de "zona de remorso", em torno da qual a onda viva e contínua do pensamento passa a enovelar-se em circuito fechado sobre si mesma, com reflexo permanente na parte do veículo fisiopsicossomático ligada à lembrança das pessoas e circunstâncias associadas ao erro de nossa autoria.

2.19.2 Estabelecida a ideia fixa sobre esse *"nódulo de forças mentais desequilibradas"*, é indispensável que acontecimentos reparadores se nos contraponham ao modo enfermiço de ser, para que nos sintamos exonerados desse ou daquele fardo íntimo, ou exatamente redimidos perante a Lei.

Essas enquistações de energias profundas, no imo de nossa alma, expressando as chamadas dívidas cármicas, por se filiarem a causas infelizes que nós mesmos plasmamos na senda do destino, são perfeitamente transferíveis de uma existência para outra. Isso porque, se nos comprometemos diante da Lei Divina em qualquer idade da nossa vida responsável, é lógico venhamos a resgatar as nossas obrigações em qualquer tempo, dentro das mesmas circunstâncias nas quais patrocinamos a ofensa em prejuízo dos outros.

É assim que o remorso provoca distonias diversas em nossas forças recônditas, desarticulando as sinergias do corpo espiritual, criando predisposições mórbidas para essa ou aquela enfermidade, entendendo-se, ainda, que essas desarmonias são, algumas vezes, singularmente agravadas pelo assédio vindicativo dos seres a quem ferimos, quando imanizados a nós em processos de obsessão. Todavia, ainda mesmo quando sejamos perdoados pelas vítimas de nossa insânia, detemos conosco os resíduos mentais da culpa, qual depósito de lodo no fundo de calma piscina, e que, um dia, virão à tona de nossa existência, para a necessária expunção, à medida que se nos acentue o devotamento à higiene moral.

— *Como pode o débil mental comandar a renovação celular do seu corpo físico?*

— Não será lícito esquecer que, mesmo conturbada, a consciência está presente nos débeis mentais ou nos doentes nervosos de toda espécie, presidindo, ainda que de modo impreciso e imperfeito, o automatismo dos processos orgânicos.

2.19.3 — *Existem "parasitas ovoides" vampirizando desencarnados?*

— Sim, nos processos degradantes da obsessão vindicativa, nos círculos inferiores da Terra, são comuns semelhantes quadros, sempre dolorosos e comoventes pela ignorância e paixão que os provocam.

— *Como entenderemos o mecanismo de atuação da Justiça Superior nos casos de endemias rurais, em que populações inteiras são assoladas periodicamente pelas mesmas doenças?*

— As endemias são quase sempre doenças que grassam numa coletividade ou numa região, dependendo de causas simplesmente locais. Devemos, assim, capitulá-las, não obstante os casos cármicos individuais que se agravam por influência delas, no quadro das conquistas higiênicas que o homem é naturalmente obrigado a realizar por si, como preço devido ao progresso comum.

— *No estado comatoso, onde se encontra o psicossoma do enfermo? Junto ao corpo físico ou afastado dele?*

— No estado de coma, o aprisionamento do corpo espiritual ao arcabouço físico, ou a parcial liberação dele, depende da situação mental do enfermo.

— *Quais os principais métodos usados na Espiritualidade para o tratamento das lesões do corpo espiritual?*

— Na Espiritualidade, os servidores da Medicina penetram, com mais segurança, na história do enfermo para estudar, com o êxito possível, os mecanismos da doença que lhe são particulares.

Aí, os exames nos tecidos psicossomáticos com aparelhos 2.19.4
de precisão, correspondendo às inspeções instrumentais e laboratoriais em voga na Terra, podem ser enriquecidos com a ficha cármica do paciente, a qual determina quanto à reversibilidade ou irreversibilidade da moléstia, antes de nova reencarnação, motivo por que numerosos doentes são tratáveis, mas somente curáveis mediante longas ou curtas internações no campo físico, a fim de que as causas profundas do mal sejam extirpadas da mente pelo contato direto com as lutas em que se configuraram.

Curial, portanto, é que o médico espiritual se utilize ainda, de certa maneira, da medicação que vos é conhecida, no socorro aos desencarnados em sofrimento, porque, mesmo no mundo, todo remédio da farmacopeia humana, até certo ponto, é projeção de elementos quimio-elétricos sobre agregações celulares, estimulando-lhes as funções ou corrigindo-as, segundo as disposições do desequilíbrio em que a enfermidade se expresse.

Contudo, é imperioso reconhecer que na Esfera Superior o médico não se ergue apenas com o pedestal da cultura acadêmica, qual ocorre frequentemente entre os homens, mas sim também com as qualidades morais que lhe confiram valor e ponderação, humildade e devotamento, visto que a psicoterapia e o magnetismo, largamente usados no Plano Extrafísico, exigem dele grandeza de caráter e pureza de coração.

Uberaba, 25-6-1958.

20
Invasão microbiana

2.20.1 — *A invasão microbiana está vinculada a causas espirituais?*

— Excetuados os quadros infecciosos pelos quais se responsabiliza a ausência da higiene comum, as depressões criadas em nós por nós mesmos, nos domínios do abuso de nossas forças, seja adulterando as trocas vitais do cosmo orgânico pela rendição ao desequilíbrio, seja estabelecendo perturbações em prejuízo dos outros, plasmam, nos tecidos fisiopsicossomáticos que nos constituem o veículo de expressão, determinados campos de rutura na harmonia celular.

Verificada a disfunção, toda a zona atingida pelo desajustamento se torna passível de invasão microbiana, qual praça desguarnecida, porque as sentinelas naturais não dispõem de bases necessárias à ação regeneradora que lhes compete, permanecendo, muitas vezes, em derredor do ponto lesado, buscando delimitar-lhe a presença ou jugular-lhe a expansão.

Desarticulado, pois, o trabalho sinérgico das células nesse ou naquele tecido, aí se interpõem as unidades mórbidas, quais as do câncer, que, nesta doença, imprimem acelerado ritmo de crescimento a certos agrupamentos celulares, entre as células sãs do órgão em que se instalem, causando tumorações invasoras e metastáticas, compreendendo-se, porém, que a mutação, no início, obedeceu a determinada distonia, originária da mente, cujas vibrações sobre as células desorganizadas tiveram o efeito das projeções de raios X ou de irradiações ultravioleta em aplicações impróprias. Emerge, então, a moléstia por estado secundário em largos processos de desgaste ou devastação, pela desarmonia a que compele a usina orgânica, a esgotar-se, debalde, na tarefa ingente da própria reabilitação no plano carnal, quando o enfermo, sem atitude de renovação moral, sem humildade e paciência, espírito de serviço e devotamento ao bem, não consegue assimilar as correntes benéficas do Amor Divino que circulam, incessantes, em torno de todas as criaturas, por intermédio de agentes distintos e inumeráveis, a todas estimulando para o máximo aproveitamento da existência na Terra. 2.20.2

Quando o doente, porém, adota comportamento favorável a si mesmo, pela simpatia que instila no próximo, as forças físicas encontram sólido apoio nas radiações de solidariedade e reconhecimento que absorve de quantos lhe recolhem o auxílio direto ou indireto, conseguindo circunscrever a disfunção aos neoplasmas benignos, que ainda respondem à influência organizadora dos tecidos adjacentes.

Sob o mesmo princípio de relatividade, a funcionar, inequívoco, entre doença e doente, temos a incursão da tuberculose e da lepra, da brucelose e da amebíase, da endocardite bacteriana e da cardiopatia chagásica, e de muitas outras enfermidades, sem nos determos na discriminação de todos os processos morbosos, cuja relação nos levaria a longo estudo técnico.

2.20.3 É que, geralmente, quase todos eles surgem como fenômenos secundários sobre as zonas de predisposição enfermiça que formamos em nosso próprio corpo, pelo desequilíbrio de nossas forças mentais a gerarem ruturas ou soluções de continuidade nos pontos de interação entre o corpo espiritual e o veículo físico, pelas quais se insinua o assalto microbiano a que sejamos mais particularmente inclinados pela Natureza de nossas contas cármicas.

Consolidado o ataque, pela brecha de nossa vulnerabilidade, aparecem as moléstias sintomáticas ou assintomáticas, estabilizando-se ou irradiando-se, conforme as disposições da própria mente, que trabalha ou não para refazer a defensiva orgânica em supremo esforço de reajuste, ou que, por automatismo, admite ou recusa, segundo a posição em que se encontra no princípio de causa e efeito, a intromissão desse ou daquele fator patogênico, destinado a expurgir dela, em forma de sofrimento, os resíduos do mal, correspondentes ao sofrimento por ela implantado na vida ou no corpo dos semelhantes.

Não será lícito, porém, esquecer que o bem constante gera o bem constante e que, mantida a nossa movimentação infatigável no bem, todo o mal por nós amontoado se atenua gradativamente, desaparecendo ao impacto das vibrações de auxílio, nascidas, a nosso favor, em todos aqueles aos quais dirijamos a mensagem de entendimento e amor puro, sem necessidade expressa de recorrermos ao concurso da enfermidade para eliminar os resquícios de treva que, eventualmente, se nos incorporem, ainda, ao fundo mental.

Amparo aos outros cria amparo a nós próprios, motivo por que os princípios de Jesus, desterrando de nós animalidade e orgulho, vaidade e cobiça, crueldade e avareza, e exortando-nos à simplicidade e à humildade, à fraternidade sem limites e ao perdão incondicional, estabelecem, quando observados, a imunologia perfeita em nossa vida interior, fortalecendo-nos o poder da mente na autodefensiva contra todos os elementos destruidores e degradantes que nos cercam e articulando-nos as possibilidades imprescindíveis à evolução para Deus.

Pedro Leopoldo, 29-6-1958.

Índice geral[31]

A

Aborto
 acumpliciamento no *
 delituoso – 2.14.2

Ácido málico
 célula masculina do feto – 1.8.3

Adinamia
 significado da palavra – 1.2.6, nota

Afinidade
 hereditariedade – 1.7.4
 Plano Extrafísico – 1.7.4, 2.11.1

Além-Túmulo
 continuação do estágio
  educativo – 1.11.7

Algas
 formação – 1.3.2
 simbiose entre cogumelo – 1.14.3

Alienação mental
 Espírito desencarnado – 1.16.1

Alimentação psíquica
 importância – 2.1.3

Alma(s)
 atividade religiosa e higiene – 1.20.3
 aura humana e estados – 1.17.2
 campos de desenvolvimento – 1.1.4
 casamento – 2.10.1
 centros vitais – 1.2.4
 conduta afetiva entre *
  enobrecidas – 2.11.1
 corpo ovoide e órgãos de
  exteriorização – 1.12.5
 desencarnação da * na
  infância – 2.17.3
 hereditariedade, afinidade – 1.7.4
 histogênese espiritual – 1.12.6
 individualidade sexual – 1.18.4
 morte da * culpada – 1.19.1
 obliteração dos núcleos
  energéticos – 1.16.7
 Plano Espiritual, escola – 1.13.2
 terapêutica do parasitismo – 1.15.9

Amor
 evolução – 1.18.5
 instinto sexual – 1.18.7
 sublimação – 1.2.5

Amor-egoísmo
 homem – 1.10.5

Animal
 célula de reprodução – 1.8.3
 introdução ao pensamento
  contínuo – 2.18.3
 Leis da Reprodução – 1.6.5

---

[31] N.E.: Remete à numeração presente à margem das páginas.

surgimento da linguagem – 1.10.1

Anjo
natureza e atributos – 2.12.2

Arrependimento
despertamento pela dor – 1.19.2
ovoides – 1.15.7

Átomo(s)
congregação – 1.1.3
ondas eletromagnéticas – 1.1.4
origem da agitação inteligente – 1.1.4

Audição
considerações – 1.9.5

Aura humana
antecâmara do Espírito – 1.17.2
campo ovoide – 1.17.2
carapaça fluídica – 1.17.2
conceito – 1.17.2
estados da alma – 1.17.2
identificação – 1.17.4
mediunidade – 1.17.2

B

Baço
extirpação – 2.3.3
relação entre centro esplênico – 2.3.3

Bactéria
algas verdes – 1.6.2
leptótrix, * diferenciada – 1.6.1
reino animal – 1.8.1
reprodução assexuada – 1.3.2

Bem
conflito entre mal – 1.17.7

Bióforo
conceito – 1.7.5
estados da mente – 1.7.5

Bissexualidade

desenho gonadal nos vertebrados – 2.16.1

Bonnier
botânica terrestre – 1.14.4, nota

Bornet
botânica terrestre – 1.14.4, nota

C

Campo mental
subjugação – 1.14.6

Carro denso de carne *ver* Corpo físico

Casamento
realização do * das almas – 2.10.1, nota

Caullery
simbiose – 1.14.5, nota

Célula
ácido málico e * masculina do feto – 1.8.3
aspectos diferentes – 1.5.4
centros vitais – 1.2.4
controle do espírito – 1.9.6
especializada – 1.5.4
estrutura mental – 1.2.4
formas – 1.5.1
funções – 1.5.2
governo mental – 1.5.4
motores elétricos microscópicos – 1.5.2
necessidades – 1.2.5
princípios inteligentes – 1.5.1
procedência – 1.2.4
transformações – 1.7.3

Centro cardíaco
funções – 1.2.3

Centro cerebral

funções – 1.2.3, 1.13.4

Centro coronário
  funções – 1.2.2, 1.13.4
  perispírito – 1.2.2
  tálamo – 1.13.4

Centro esplênico
  funções – 1.2.3
  importância da relação
    entre baço – 2.3.3

Centro gástrico
  funções – 1.2.3
  transformações fundamentais – 1.2.5

Centro genésico
  funções – 1.2.3
  transformações fundamentais – 1.2.5

Centro laríngeo
  funções – 1.2.3

Centro vital
  alma – 1.2.4
  células – 1.2.4
  esboço – 1.8.2
  exteriorização – 1.2.5, 2.4.1
  ordem de formação – 2.3.3
  ovoides – 2.3.3

Cérebro
  aparelho de expressão do
    espírito – 1.9.7
  construção – 1.9.1
  ninho da mente – 1.9.1
  pensamento contínuo – 1.10.4

China pré-histórica
  religião – 1.20.4

Ciência humana
  perispírito – 1.2.2

Cocriação em plano menor
  inteligências humanas – 1.1.4

Código Penal
  evolução do povo – 2.14.1

Coma
  situação do perispírito – 2.19.3

Comando mental
  lugares entenebrecidos – 1.1.4

Cônjuge espiritual
  separação – 2.9.1

Consciência
  exame retrospecto – 1.12.7
  homem e * desperta – 1.11.2, 1.11.3
  mônada, crisálida – 1.3.2
  responsabilidade – 1.20.1
  sentidos e * fragmentária – 1.9.4

Consciência terrestre
  consciência cósmica – 1.3.5, nota

Consciência cósmica
  consciência terrestre – 1.3.5, nota
  considerações – 1.3.5, nota

Constelação
  força centrífuga – 1.1.2

Corpo espiritual *ver* Perispírito

Corpo físico
  cromossomas – 1.6.3
  desprendimento – 1.10.4
  Espírito Superior e
    plasmação – 1.19.6
  finalidade – 1.19.8
  hereditariedade relativa – 1.7.5
  mitose do ovo – 1.7.5
  Paulo, Apóstolo – 2.17.3, nota

Corpo mental
  corpo ovoide e * da individualidade
    – 1.12.5, nota
  definição – 1.2.1, nota
  perispírito – 1.2.1

Índice geral

Corpo ovoide
considerações – 1.12.5, nota
corpo mental da individualidade – 1.12.5
perispírito – 1.12.5
remorso, arrependimento – 1.15.7

Corpo vital
escolas espiritualistas – 1.17.1

Córtex
chimpanzés e extirpação total – 1.16.5
sede do centro cerebral do perispírito – 1.16.5
serviços do tato – 1.16.5

Criação
irradiações da mente – 1.1.3

Criança
evolução da * recém-nata – 1.11.3
histogênese espiritual – 1.11.4

Crisálida de consciência
início – 1.8.2
mônada – 1.3.2, 1.7.2
reinos inferiores – 1.6.5

Cristianismo
Espiritismo – 1.20.8
revivescência – 1.20.8

Cromossomas
caracteres da mente – 1.7.5
corpo físico – 1.6.3
diferenciação – 1.6.4
genes – 1.6.3
imortalidade – 1.6.3
movimento – 1.7.2
natureza – 1.6.3
perispírito – 1.6.3
permuta de * no vaso uterino – 1.7.5
princípio inteligente – 1.6.2

Cuvier
paleontologia animal – 1.6.5, nota

D

Darwin
evolução dos seres vivos – 1.6.5, nota

Débil mental
renovação celular – 2.19.2

Descartes
teoria – 1.4.2, nota

Desencarnação
adiantada senectude – 2.4.2
analogia do mundo dos insetos – 1.12.1
aperfeiçoamento moral e intelectual – 2.4.2
desdobramento do Espírito – 2.17.4
ensaio da * natural – 1.12.6
Espírito – 1.11.7
histólise – 1.11.6
infância e * da alma – 2.17.1
juventude primeira – 2.4.2
lucidez espiritual depois – 2.17.4
metamorfose – 1.12.1

Desprendimento
aspectos – 1.17.4
morte – 1.17.4
sono – 1.17.3

Deus
extensão e perpetuação da obra – 1.1.3

Diencéfalo
serviços – 1.16.5
sistema nervoso central – 1.9.7

Direito
noção – 1.11.2

Direito cósmico
princípio universal – 2.14.2

Índice geral

Divórcio
matrimônio e * no Plano
Espiritual – 2.8.1; 2.8.3

Dor
situação de alarme – 2.15.3

Doutrina Espírita *ver
também* Espiritismo
Evangelho de Jesus – 1.17.8
função – 1.17.7

Duplo etéreo *ver* Corpo vital

E

Ectoplasma
materialização – 1.17.6
médium – 1.5.5

Egito
religião egipciana – 1.20.4

Egoísmo
renúncia – 1.15.5

Eidolon *ver* Perispírito

Elétron
matéria elementar – 1.3.1

Embrião
transplante de tecidos – 1.5.5

Encefalização
importância – 1.16.3

Endemia rural
Justiça Superior – 2.19.3

Energia
matéria – 1.1.4

Engenharia Celeste
florestas de estrelas – 1.1.2

Epífise *ver* Glândula pineal

Epilepsia
energias degeneradas – 1.8.5

Espiritismo *ver também*
Doutrina Espírita
Cristianismo – 1.20.8

Espírito
aura, antecâmara – 1.17.2
campos gigantescos ao
progresso – 1.1.2
cérebro, aparelho de
expressão – 1.9.7
desencarnação – 1.11.7
genealogia – 1.6.5
gênese – 1.4.4
liberação do * em condição
inversa – 2.4.1, nota

Espírito desencarnado
alienação mental – 1.16.1
alimentação – 2.1.1
alterações no perispírito – 2.3.2
apresentação – 2.5.1
apresentação morfológica
– 2.4.1, nota
estrutura mental das células – 1.2.4
fluidos letais – 1.14.7
linguagem – 2.2.1
parasitas ovoides e
vampirização – 2.19.3
simbiose entre Espírito
encarnado – 1.14.5
transformação – 1.14.7
vestuário – 2.5.2
vida social – 2.7.1

Espírito encarnado
histerepilepsia – 1.14.6
simbiose entre Espírito
desencarnado – 1.14.5

Espírito exilado
tabas selvagens – 1.20.3

Índice geral

Espírito inferior
  definhamento do perispírito – 1.19.6
  ovoidização – 1.19.6

Espírito Superior
  plasmação do corpo físico – 1.19.6

Esquizofrenia
  energias degeneradas – 1.8.5

Estado orgânico
  esfera celular – 2.15.1, nota

Estrutura esquelética
  esboço – 1.3.3

Euler, Von
  catalase – 1.8.5, nota

Evangelho de Jesus
  caridade – 2.14.6, nota
  Doutrina Espírita – 1.17.8

Evolução
  elos desconhecidos – 1.3.4, 2.18.3
  intervenção dos instrutores
    espirituais – 2.18.3
  pesquisas dos naturalistas – 1.3.4
  preço – 1.19.6
  reencarnação – 1.19.4

Evolução filogenética
  reencarnação – 1.12.6
  reino animal – 1.6.6

Evolução moral
  evolução morfológica – 1.11.1

Evolução morfológica
  evolução moral – 1.11.1

Expiação
  analogia entre transposição
    da montanha – 1.19.6

F

Fanatismo
  inteligências nobres – 1.14.5

Faquirismo
  mente e demonstrações do – 1.5.5

Fator de fixação
  Mundo Espiritual – 1.9.3

Fecundação
  ato – 1.7.4

Feto
  ácido málico e célula
    masculina – 1.8.3
  Espírito reencarnante e
    formas – 2.13.1

Fluido
  definição – 1.13.1
  pensamento – 1.13.4
  tipos – 1.13.1

Fluido Cósmico
  cocriação em plano menor – 1.1.4
  conceito – 1.1.1, 1.1.4, nota
  fluido vivo – 1.13.1
  forças atômicas – 1.1.3
  galáxia – 1.1.2
  impérios estelares – 1.1.2
  inteligências divinas – 1.1.1
  inteligências humanas – 1.1.4
  luz, calor – 1.1.4
  Plasma Divino – 1.1.1
  sistema hemático – 2.15.2

Fluido magnético
  atuação – 2.15.2
  força mental – 2.15.1
  poder – 2.15.1

Fluido mental
  pensamento – 1.13.4
  progresso – 1.13.7
  propriedades – 1.13.5
  psicosfera – 1.13.4

transformações no
  perispírito – 1.13.8

Força centrífuga
  constelação – 1.1.2
  galáxia – 1.1.2

Fotosfera psíquica *ver* Aura humana

Fotossíntese
  elemento espiritual – 1.8.1
  princípio inteligente – 1.14.1

Fraternidade
  modificação nos desafetos – 1.15.9

G

Galáxia
  força centrífuga – 1.1.2

Genes
  cromossomas – 1.6.3

Geometria
  definição – 1.7.1
  transcendente – 1.7.5

Gestação frustrada
  compreensão dos casos – 2.13.1

Glândula pineal
  centro coronário do
    perispírito – 1.9.1
  consolidação – 1.9.2
  lacertídeos – 1.9.1

Glândula sexual
  bipotencialidade – 1.18.2
  perispírito – 1.18.3
  reprodução – 1.18.3

Gônada
  estados da mente – 1.18.4

Gosto
  surgimento – 1.4.4

H

Habitação cósmica
  Plasma Divino – 1.1.1

Halo energético
  seres vivos – 1.17.1

Halo psíquico *ver* Psicosfera

Hausto Corpuscular de Deus
  matéria primária – 1.2.4

Hausto do Criador *ver*
  Fluido Cósmico

Hemisfério psicossomático
  ver Perispírito

Hemisfério somático *ver*
  Corpo físico

Hereditariedade
  afinidade – 1.7.4
  corpo físico e * relativa – 1.7.5
  fatores – 1.7.2
  plano físico – 1.7.4
  princípio inteligente – 1.7.1

Hermafroditismo
  potencial – 1.18.2
  princípio inteligente – 1.18.1
  unissexualidade – 1.18.1

Hiperdinamia
  significado da palavra – 1.2.6, nota

Histerepilepsia
  Espírito encarnado – 1.14.6
  transe mediúnico – 1.14.6

Histogênese
  além – 1.12.2
  alma – 1.12.6
  criança e * espiritual – 1.11.5
  larva – 1.11.5
  mamíferos e * espiritual – 1.12.1

Índice geral

Histólise
　desencarnação – 1.11.6
　insetos – 2.3.1

Homem
　amor-egoísmo – 1.10.5
　consciência desperta – 1.11.3
　crescimento do amor – 1.11.1
　desencarne de mamíferos – 1.12.1
　desprendimento do
　　perispírito – 1.11.1
　herdeiro da animalidade
　　instintiva – 1.13.8
　histólise – 1.11.6
　idade da razão – 1.3.4
　ideia moral da vida – 1.10.5
　inteligência artesanal – 1.13.7
　Lei de Causa e Efeito – 1.12.7
　leis de gravitação – 1.13.2
　livre-arbítrio – 1.11.3
　meditação compulsória – 1.10.4
　pensamentos nebulosos – 1.10.6
　princípio da responsabilidade
　　– 1.10.6
　respiração, alimento – 2.1.2
　revelação da vida mental – 1.11.3
　sofrimento – 1.12.8

Homem infra primitivo
　fenômeno da morte – 1.12.2
　histogênese – 1.12.2
　histólise – 1.12.2

Homem primitivo
　desenvolvimento da energia
　　mental – 1.10.4
　monoideísmo auto-
　　hipnotizante e – 1.12.5

Homem selvagem
　aspiração do * desencarnado – 1.12.4
　despertamento do * fora do
　　corpo denso – 1.12.3
　monoideísmo – 1.12.4
　órgãos do perispírito – 1.12.4

　seres extraterrestres – 1.12.3

Hormônios
　ação – 1.18.3
　mente – 1.18.3
　perispírito – 1.18.3
　reprodução – 1.18.3

Hospedeiro
　exemplo, renovação,
　　reajustamento – 1.15.8
　transformações – 1.15.4

Humanidade
　perispírito e alicerces – 1.10.2

I

Ideia-fragmento
　animais – 2.18.3

Ideias
　exteriorização inconsciente – 1.10.4
　reflexão – 11.13.6

Inconsciente
　atividades reflexas – 1.4.1

Incontinência sexual
　admissão da* nos planos
　　superiores – 2.10.1

Índia védica
　religião – 1.20.4

Individualidade
　formação – 1.4.3

Infecção fluídica
　considerações – 1.15.6

Inferno
　conceito – 1.19.2

Instinto
　expansão – 1.8.1

Índice geral

Instinto sexual
amor – 1.18.5
divinização – 1.18.7
enfermidades – 1.18.8
evolução – 1.18.4
monogamia, poligamia – 1.18.6
origem – 1.18.4
reconstituinte das forças
espirituais – 1.18.7

Instituto de cultura anatômica
restringimento do
perispírito – 1.19.7

Inteligência
circunvoluções cerebrais – 1.9.2
princípio espiritual e
incorporação – 1.4.2
razão – 1.4.3

Inteligência artesanal
homem – 1.13.7

Intuição
sistema inicial de
intercâmbio – 1.17.3

Invasão microbiana
causas – 2.20.1

Invertebrado
formação do mundo cerebral – 1.9.1

J

Jesus
princípio do amor – 1.20.8
princípios – 2.20.3
religião – 1.20.7

Justiça espiritual
mecanismo – 2.6.1
reencarnação – 1.19.6

L

Lamarck
evolução dos seres vivos – 1.6.5, nota

Laringe
produção fisiológica da voz – 1.10.2

Larva
desenvolvimento – 1.11.3
falena – 1.11.5
formação do casulo – 1.11.4
histogênese – 1.11.5
histólise – 1.11.4
pupa – 11.4

Lei de gravitação
homem – 1.13.2

Linguagem
criação da * convencional – 1.10.3
processos – 1.10.1
surgimento da * animal – 1.10.1

Livre-arbítrio
homem – 1.11.3

Luz
velocidade – 1.1.4

M

Magia negra
mitologia – 1.17.7

Mal
conflito entre bem – 1.17.7
destino – 2.18.1
imagens plasmadas – 1.16.8

Magnetismo
Plano Extrafísico – 2.19.4

Mamífero
demora do * no Plano
Espiritual – 1.12.2
desencarne – 1.12.1
hibernação – 1.12.2

histogênese espiritual – 1.12.2
histólise – 1.12.2
procedência dos primeiros – 1.3.4

Matéria
assimilação dos corpúsculos – 1.1.4
energia – 1.1.4

Matéria elementar
elétron – 1.3.1, nota

Materialização
ectoplasma – 1.17.6

Matrimônio
aspectos variados – 2.8.1
divórcio e * no Plano
  Espiritual – 2.8.1
expiatório – 2.8.1
Plano Espiritual e * Superior – 2.11.2

Mediador plástico *ver* Perispírito

Medicina humana
passe magnético – 2.15.1

Médium(ns)
apresentação dos Espíritos
  desencarnados – 2.5.2
ectoplasma – 1.5.5
fascinação recíproca e *
  primitivo – 1.17.1

Mediunidade
aura – 1.17.5
clariaudiência – 1.17.6
clarividência – 1.17.6
conceito – 1.17.2, 1.17.8
espontânea – 1.17.6
materialização – 1.17.6
metapsíquica – 1.17.8
ondas de pensamento – 1.17.3
padre tebano – 1.20.5
princípios morais – 1.17.7
sono – 1.17.6

Mediunismo
absorção da vitalidade – 1.14.7
simbiose espiritual – 1.14.6

Medula
células perispirituais – 1.16.3
consequências da secção – 1.16.3
Sherrington e secção
  completa – 1.16.3

Mente(s)
cérebro, ninho – 1.9.1
criação e irradiações – 1.1.3
entendimento da *
  individualizada – 2.3.2
exteriorização da * no
  perispírito – 2.4.1, nota
gabinete administrativo – 1.16.2
gônada e estados – 1.18.4
harmonia entre perispírito – 1.16.1
hormônios – 1.18.3
impulsos determinantes – 1.8.5
influenciação dos Espíritos
  desencarnados – 1.17.5
plasma criador – 1.13.7
revisão automática das
  experiência – 1.12.7
sexo – 1.18.9
simbiose – 1.14.5
sono – 1.17.3
substâncias magnetoeletroquímicas
  – 1.8.5

Mentossíntese
início – 1.14.2
princípio inteligente – 1.14.2

Metabolismo
fases progressivas – 1.8.1
mente humana – 1.8.3
subordinação – 1.8.5

Mitocôndrios
energia espiritual – 1.8.4

Mitologia
formação – 1.17.7
magia negra – 1.17.7

Moisés
dez mandamentos – 1.20.6
dias da Criação – 1.4.4
missão – 1.20.5
princípios da justiça – 1.20.8

Mônada celeste
crisálida de consciência – 1.3.3, 1.4.3
desenvolvimento – 1.1.3, 1.3.2
instinto, inteligência – 1.3.4
razão – 1.3.4

Monogamia
instinto sexual – 1.18.6

Monoideísmo
auto-hipnotização – 1.12.5
homem primitivo e * auto-hipnotizante – 1.12.5
homem selvagem desencarnado – 1.12.4
mecanismo – 1.16.6
reencarnação – 1.12.4

Morte
alma culpada – 1.19.1
concepções, introspecções – 1.1.3
desprendimento definitivo – 1.17.4
homem infraprimitivo – 1.12.2
transformações do perispírito – 1.2.5

Mundo cerebral
formação – 1.9.1
mamíferos – 1.9.2
peixes, anfíbios, répteis – 1.9.1

Mundo das plantas
princípio inteligente – 1.14.1

Mundo dos insetos
desencarnação e escala de fenômenos – 1.12.1

histólise – 2.3.1

Mundo Espiritual
fator de fixação – 1.9.3

N

Narcisismo
hipertrofia psíquica – 1.18.7

Nervo
estações emissoras e receptora – 1.9.6

Neurônio
constituição – 1.9.3
nascimento e renovação – 1.9.3

Nissl, corpúsculo
alimento psíquico – 1.9.3

Northrop
pepsina – 1.8.5, nota

Nossa galáxia *ver* Via Láctea

O

Obsessor
absorção das forças psíquicas – 1.15.7

Olfato
origem – 1.4.4

Onda eletromagnética
átomos – 1.1.4

Oração
benefícios – 2.15.3

Organismo sutil *ver* Perispírito

Oscilação eletromagnética
diversificação – 1.1.4

Ovário
hormônios estrogênicos – 1.18.3

Ovoide

campo * e aura humana – 1.17.2
centros vitais – 2.3.3
remorso, arrependimento – 1.15.7

Ovoidização
Espíritos inferiores – 1.19.6

P

Padre tebano
mediunidade – 1.20.5
perispírito – 1.20.5

Palavra
mecanismo – 1.10.2

Palingenesia universal
princípio inteligente – 1.12.2

Parasita
transformações – 1.15.2

Parasita espiritual *ver* Obsessor

Parasitismo
reencarnação – 1.15.8
reinos inferiores – 1.15.1

Passe
velocidade de emissão
fluídica – 2.15.4

Passe magnético
medicina humana – 2.15.1
prece – 2.15.3

Paulo, apóstolo
corpo físico – 2.17.3, nota

Paz
cuidar da * com inimigos – 1.15.10

Pensamento
animais e introdução ao *
contínuo – 2.18.3
aprisionamento ao casulo – 1.11.7
cérebro e * contínuo – 1.10.4

fluido e * contínuo – 1.13.1, 1.13.4
fluido mental – 1.13.4
mediunidade e ondas – 1.17.3
primeiras emissões de *
contínuo – 1.6.6
renovação do perispírito – 1.13.7
sentimento e partículas – 1.13.6

Perdão
resíduos mentais da culpa – 2.19.2

Perispírito
alicerces da Humanidade – 1.10.2
alterações apresentadas – 1.2.1, 2.3.2
atividades nervosas – 1.16.4
automatismo fisiológico – 1.4.1
características – 1.2.1
causas profundas das
moléstias – 2.19.1
centro cardíaco – 1.2.3
centro cerebral – 1.2.3
centro coronário – 1.2.3
centro esplênico – 1.2.3
centro gástrico – 1.2.3
centro genésico – 1.2.3
centro laríngeo – 1.2.3
centros vitais – 1.2.4
ciência humana – 1.2.2
corpo mental – 1.2.1, nota
corpo ovoide – 1.12.5, nota; 1.15.7
cromossomas – 1.6.3
definição – 1.2.1
evolução e aprimoramento – 1.3.1
exteriorização da mente – 2.4.1, nota
filtro das esferas superiores – 1.17.9
fluido mental e transformações
– 1.13.8
formação – 1.2.1
gênese dos órgãos – 1.4.4
glândula pineal – 1.9.1
glândulas sexuais – 1.18.3
harmonia entre mente – 1.16.1
histogênese espiritual – 1.11.6
homem e desprendimento – 1.11.1

Índice geral

homem selvagem – 1.12.3
hormônios – 1.18.3
importância da respiração – 2.1.1
mamíferos e órgãos – 1.12.2
mecanismos de alterações – 2.3.2
medicina do futuro – 1.2.5
mente e elaboração – 1.12.6
padres tebanos – 1.20.5
perda – 1.12.5
predisposições mórbidas – 2.19.1
processos metabólicos – 2.1.2
protoforma humana – 1.7.3
renovação – 1.13.7
restringimento – 1.19.7
sede do centro cerebral – 1.16.5
situação do * no estado
   de coma – 2.19.3
sono – 1.17.4
transformações fundamentais
   – 1.2.5, 1.15.7
tratamento das lesões – 2.19.3
veículo eletromagnético – 1.2.5
volitação – 2.3.1

Pessoa mutilada
   continuidade das impressões – 1.16.5

Planeta
   formação – 1.1.3

Plano Espiritual *ver também* Plano Extrafísico
   centros de reeducação – 2.1.3
   delinquentes – 2.6.2
   escola da alma – 1.13.2
   fluido vivo – 1.13.1
   institutos de escultura
      anatômica – 1.19.7
   matrimônio e divórcio – 2.8.1
   matrimônio superior – 2.11.2
   mecanismo da justiça – 2.6.1
   percentagem de tempo – 2.18.2

Plano Extrafísico *ver também* Plano Espiritual

afinidade – 2.7.2
considerações – 1.3.4, nota
plantas – 1.13.3
psicoterapia, magnetismo – 2.19.4

Plano físico
   consanguinidade – 2.7.2
   considerações – 1.3.4, nota

Plasma Divino *ver* Fluido Cósmico

Poligamia
   instinto sexual – 1.18.6

Prece *ver* Oração

Princípio cosmo cinético
   vida orgânica – 1.4.4

Princípio divino
   origem – 1.3.4

Princípio espiritual
   incorporação da inteligência – 1.4.2

Princípio inteligente
   alimentação – 1.3.2
   bactérias – 1.14.1
   células – 1.5.1
   clorofila – 1.3.2
   cromossomas – 1.6.3
   desenvolvimento – 1.6.2, 1.7.2
   edificação da sensação e do
      automatismo – 1.13.8
   elementos quimiotácticos
   eletromagnéticos – 1.8.3
   estágio – 2.18.3
   experimentação no laboratório
      da Natureza – cap.16.4
   filtros de transformismo – 1.6.4
   fotossíntese – 1.14.1
   hereditariedade – 1.7.1
   hermafroditismo das plantas – 1.18.1
   linguagem animal – 1.10.1
   marcha do * para o reino
      humano – 1.4.5

Índice geral

mentossíntese – 1.14.2
morte física – 1.14.2
mundo das plantas – 1.14.1
necessidade de comunicação – 1.10.1
nutrição – 1.14.1
origem – 1.6.2
origem do tato – 1.4.4
palingenesia universal – 1.12.2
pensamento contínuo – 1.6.6
perispírito – 2.3.3
plasmação – 1.4.1
primeiras manifestações – 1.3.2
reino humano e – 1.4.5
reprodução nos cromossomas – 1.6.3
semeadores divinos – 1.7.4
seres superiores – 1.14.1
sustento – 1.14.1
vírus – 1.3.2

Progresso
analogia entre transposição da montanha – 1.19.6
fluido mental – 1.13.7

Provação
liberação do Espírito em condição inversa – 2.4.1, nota

Psicanálise
atividade sexual – 1.18.5

Psicosfera
fluido mental – 1.13.5

Psicossoma *ver* Perispírito

Psicoterapia
Plano Extrafísico – 2.19.4

R

Raça adâmica
constituição – 1.20.3, nota

Razão
faixas inaugurais – 1.3.4

homem e idade – 1.3.5
inteligência – 1.4.3
mônada – 1.3.4
responsabilidade – 1.4.3

Recuperação
analogia entre transposição da montanha – 1.19.6

Reencarnação
especial – 1.19.4
evolução – 1.19.4
evolução filogenética – 1.12.7
justiça espiritual – 1.19.7
monoideísmo – 1.12.4
objetivos – 1.7.4
parasitismo – 1.15.8
particularidades – 1.19.6
provação, tarefa específica – 2.4.1
sementes de destino e nova – 1.19.3
vaso genésico da mulher – 1.12.5

Reflexo
recuperação – 1.16.3

Reflexo condicionado
arquivo – 1.7.2

Reflexos-tipos
reino animal – 1.9.4

Reino animal
bactérias – 1.8.1
evolução filogenética – 1.6.5
ideias-relâmpagos – 1.10.4
reflexos-tipos – 1.9.4

Reino humano
princípio inteligente – 1.4.5

Reino vegetal
arquitetos espirituais – 1.7.1
crisálidas de consciência – 1.7.2
nascimento – 1.3.2

Religião

Índice geral

China pré-histórica – 1.20.4
Egito antigo – 1.20.4
Índia védica – 1.20.4
Jesus – 1.20.7

Remorso
agravamento – 1.19.1
ovoides – 1.15.7
predisposições mórbidas – 2.19.2
vítimas – 1.19.2

Reprodução
glândulas sexuais, hormônios – 1.8.3

Respiração
alimento do homem – 2.1.2
perispírito e importância – 2.1.1

Responsabilidade
consciência – 1.20.1
nascimento – 1.10.6
razão – 1.4.3

S

Schwendener
botânica terrestre – 1.14.4, nota

Sementes de destino
novas reencarnações – 1.19.3

Sentidos
consciência fragmentária – 1.9.4
formação – 1.9.4

Sentimento
partículas do pensamento – 1.13.6

Sexo(s)
aparecimento – 1.4.4, 1.6.1
diferenciação – 2.12.1
gestação e determinação – 2.16.1
mente – 1.18.9
renúncia construtiva – 2.10.2
sede real – 1.18.4, 1.18.9

Sherrington
secção completa da medula – 1.16.3
sistema nervoso – 1.16.3, nota

Simbiose espiritual
ancianidade – 1.14.7
mediunismo – 1.14.7

Sistema hemático
Fluido Cósmico – 2.15.2

Sistema nervoso
ensaios – 1.3.4

Sistema nervoso autônomo
organização – 1.9.6

Sistema nervoso central
diencéfalo – 1.9.7

Sistema vascular
ensaios – 1.3.4

Sono
desligamento das células – 1.10.4
desprendimento – 1.17.3
emancipação parcial – 1.11.1
exteriorização dos centros
    vitais – 1.2.5
função – 1.17.5
importância – 1.17.4
laços fluídico-magnéticos – 1.17.4
mediunidade – 1.17.6
mente – 1.17.4
perispírito – 1.17.5
visita dos benfeitores
    espirituais – 1.10.4

Suicida
fixação monoideica – 1.16.8, nota

Suicídio
associação do * ao
    homicídio – 2.17.3
consequências – 2.17.1
desaprovação da consciência – 2.17.1

T

Tálamo
 centro coronário – 1.13.4
 olfato – 1.13.4, nota

Tato
 afirmação – 1.9.4
 origem – 1.4.4

Tecidos de força
 conceito – 1.17.1

Teologia hindu
 devas – 1.1.1

Terra
 constituição – 1.13.4
 elos de evolução desconhecidos – 2.18.3
 formação – 1.3.1
 primórdios da vida – 1.3.1

Testículo
 hormônios androgênicos – 1.18.3

Transe mediúnico
 histerepilepsia – 1.14.6

U

Unissexualidade
 hermafroditismo – 1.18.1

V

Vampirismo
 processo – 1.15.6

Veículo do espírito *ver* Perispírito

Veículo espiritual *ver* Perispírito

Veículo fisiopsicossomático *ver* Perispírito

Verdugo
 neurônios do hipotálamo – 1.15.6

Via Láctea
 analogia entre * e cidade perdida – 1.1.2

Vida
 homem e ideia moral – 1.10.5
 sementes – 1.3.1

Vida orgânica
 princípios cosmocinéticos – 1.4.4

Vida social
 Espíritos desencarnados – 2.7.1

Vírus
 campo primacial da existência – 1.3.2
 princípio inteligente – 1.3.2

Visão
 considerações – 1.9.5
 origem – 1.4.4

Visão panorâmica
 acidentes, suicídios frustrados – .12.7

Vitalidade
 mediunismo e absorção – 1.14.7

Volitação
 perispírito – 2.3.1

Voz
 produção fisiológica – 1.10.2

Vries, Hugo De
 mutacionismo – 1.6.2, nota

EVOLUÇÃO EM DOIS MUNDOS

EDIÇÃO	IMPRESSÃO	ANO	TIRAGEM	FORMATO
1	1	1959	20.000	12,5x17,5
2	1	1961	10.000	12,5x17,5
3	1	1971	15.000	12,5x17,5
4	1	1977	10.200	12,5x17,5
5	1	1979	10.200	12,5x17,5
6	1	1981	10.200	12,5x17,5
7	1	1983	10.200	12,5x17,5
8	1	1985	15.200	12,5x17,5
9	1	1986	10.200	12,5x17,5
10	1	1987	20.000	12,5x17,5
11	1	1989	25.000	12,5x17,5
12	1	1991	15.000	12,5x17,5
13	1	1993	20.000	12,5x17,5
14	1	1995	10.000	12,5x17,5
15	1	1997	6.500	12,5x17,5
16	1	1998	5.000	12,5x17,5
17	1	1999	10.000	12,5x17,5
18	1	2000	5.000	12,5x17,5
19	1	2001	5.000	12,5x17,5
20	1	2002	5.000	12,5x17,5
21	1	2003	8.000	12,5x17,5
22	1	2004	5.000	12,5x17,5
23	1	2005	5.000	12,5x17,5
24	1	2006	6.000	12,5x17,5
25	1	2007	7.000	12,5x17,5
25	2	2008	6.000	12,5x17,5

EDIÇÃO	IMPRESSÃO	ANO	TIRAGEM	FORMATO
25	3	2009	8.000	12,5x17,5
25	4	2010	15.000	12,5x17,5
25	5	2012	9.000	12,5x17,5
26	1	2003	5.000	14x21
26	2	2009	2.000	14x21
26	3	2010	2.000	14x21
26	4	2011	6.000	14x21
27	1	2013	10.000	14x21
27	2	2014	8.000	14x21
27	3	2015	4.000	14x21
27	4	2015	4.000	14x21
27	5	2016	4.500	14x21
27	6	2017	4.000	14x21
27	7	2017	5.500	14x21
27	8	2018	2.500	14X21
27	9	2018	3.000	14X21
27	10	2019	2.500	14X21
27	11	2019	3.000	14X21
27	12	2020	6.500	14X21
27	13	2021	5.500	14X21
27	14	2022	5.000	14x21
27	15	2023	3.200	14x21
27	16	2024	5.000	14x21

O QUE É ESPIRITISMO?

O Espiritismo é um conjunto de princípios e leis revelados por Espíritos Superiores ao educador francês Allan Kardec, que compilou o material em cinco obras que ficariam conhecidas posteriormente como a Codificação: *O livro dos espíritos, O livro dos médiuns, O evangelho segundo o espiritismo, O céu e o inferno* e *A gênese*.

Como uma nova ciência, o Espiritismo veio apresentar à Humanidade, com provas indiscutíveis, a existência e a natureza do Mundo Espiritual, além de suas relações com o mundo físico. A partir dessas evidências, o Mundo Espiritual deixa de ser algo sobrenatural e passa a ser considerado como inesgotável força da Natureza, fonte viva de inúmeros fenômenos até hoje incompreendidos e, por esse motivo, são tidos como fantasiosos e extraordinários.

Jesus Cristo ressaltou a relação entre homem e Espírito por várias vezes durante sua jornada na Terra, e talvez alguns de seus ensinamentos pareçam incompreensíveis ou sejam erroneamente interpretados por não se perceber essa associação. O Espiritismo surge então como uma chave, que esclarece e explica as palavras do Mestre.

A Doutrina Espírita revela novos e profundos conceitos sobre Deus, o Universo, a Humanidade, os Espíritos e as leis que regem a vida. Ela merece ser estudada, analisada e praticada todos os dias de nossa existência, pois o seu valioso conteúdo servirá de grande impulso à nossa evolução.

O LIVRO ESPÍRITA

Cada livro edificante é porta libertadora.

O livro espírita, entretanto, emancipa a alma nos fundamentos da vida.

O livro científico livra da incultura; o livro espírita livra da crueldade, para que os louros intelectuais não se desregrem na delinquência.

O livro filosófico livra do preconceito; o livro espírita livra da divagação delirante, a fim de que a elucidação não se converta em palavras inúteis.

O livro piedoso livra do desespero; o livro espírita livra da superstição, para que a fé não se abastarde em fanatismo.

O livro jurídico livra da injustiça; o livro espírita livra da parcialidade, a fim de que o direito não se faça instrumento da opressão.

O livro técnico livra da insipiência; o livro espírita livra da vaidade, para que a especialização não seja manejada em prejuízo dos outros.

O livro de agricultura livra do primitivismo; o livro espírita livra da ambição desvairada, a fim de que o trabalho da gleba não se envileça.

O livro de regras sociais livra da rudeza de trato; o livro espírita livra da irresponsabilidade que, muitas vezes, transfigura o lar em atormentado reduto de sofrimento.

O livro de consolo livra da aflição; o livro espírita livra do êxtase inerte, para que o reconforto não se acomode em preguiça.

O livro de informações livra do atraso; o livro espírita livra do tempo perdido, a fim de que a hora vazia não nos arraste à queda em dívidas escabrosas.

Amparemos o livro respeitável, que é luz de hoje; no entanto, auxiliemos e divulguemos, quanto nos seja possível, o livro espírita, que é luz de hoje, amanhã e sempre.

O livro nobre livra da ignorância, mas o livro espírita livra da ignorância e livra do mal.

Emmanuel[1]

---

[1] Página recebida pelo médium Francisco Cândido Xavier, em reunião pública da Comunhão Espírita Cristã, na noite de 25/2/1963, em Uberaba (MG), e transcrita em *Reformador*, abr. 1963, p. 9.

LITERATURA ESPÍRITA

Em qualquer parte do mundo, é comum encontrar pessoas que se interessem por assuntos como imortalidade, comunicação com Espíritos, vida após a morte e reencarnação. A crescente popularidade desses temas pode ser avaliada com o sucesso de vários filmes, seriados, novelas e peças teatrais que incluem em seus roteiros conceitos ligados à espiritualidade e à alma.

Cada vez mais, a imprensa evidencia a literatura espírita, cujas obras impressionam até mesmo grandes veículos de comunicação devido ao seu grande número de vendas. O principal motivo pela busca dos filmes e livros do gênero é simples: o Espiritismo consegue responder, de forma clara, perguntas que pairam sobre a Humanidade desde o princípio dos tempos. Quem somos nós? De onde viemos? Para onde vamos?

A literatura espírita apresenta argumentos fundamentados na razão, que acabam atraindo leitores de todas as idades. Os textos são trabalhados com afinco, apresentam boas histórias e informações coerentes, pois se baseiam em fatos reais.

Os ensinamentos espíritas trazem a mensagem consoladora de que existe vida após a morte, e essa é uma das melhores notícias que podemos receber quando temos entes queridos que já não habitam mais a Terra. As conquistas e os aprendizados adquiridos em vida sempre farão parte do nosso futuro e prosseguirão de forma ininterrupta por toda a jornada pessoal de cada um.

Divulgar o Espiritismo por meio da literatura é a principal missão da FEB, que, há mais de cem anos, seleciona conteúdos doutrinários de qualidade para espalhar a palavra e o ideal do Cristo por todo o mundo, rumo ao caminho da felicidade e plenitude.

CARIDADE: AMOR EM AÇÃO

SEDE BONS E CARIDOSOS: essa a chave que tendes em vossas mãos. Toda a eterna felicidade se contém nesse preceito: "Amai-vos uns aos outros". KARDEC, Allan. *O evangelho segundo o espiritismo*, cap. 13, it. 12.

A Federação Espírita Brasileira (FEB), em 20 de abril de 1890, iniciou sua *Assistência aos Necessitados* após sugestão de Polidoro Olavo de S. Thiago ao então presidente Francisco Dias da Cruz. Durante 87 anos, esse atendimento representava o trabalho de auxílio espiritual e material às pessoas que o buscavam na instituição. Em 1977, esse serviço passou a chamar-se Departamento de Assistência Social (DAS), cujas atividades assistenciais nunca se interromperam.

Desde então, a FEB, por seu DAS, desenvolve ações socioassistenciais de proteção básica às famílias em situação de vulnerabilidade e risco socioeconômico. Fortalece os vínculos familiares por meio de auxílio material e orientação moral-doutrinária com vistas à promoção social e crescimento espiritual de crianças, jovens, adultos e idosos.

Seu trabalho alcança centenas de famílias. Doa enxovais para recém-nascidos, oferece refeições, cestas de alimentos, cursos para jovens, serviços de convivência e fortalecimento de vínculos para idosos e organiza doações de itens que são recebidos na instituição e repassados a quem necessitar.

Essas atividades são organizadas pelas equipes do DAS e apoiadas com recursos financeiros da instituição, dos frequentadores da casa e por meio de doações recebidas, num grande exemplo de união e solidariedade.

Seja sócio contribuinte da FEB, adquira suas obras e estará colaborando com o seu Departamento de Assistência Social.

FEB editora
Livro espírita para um novo mundo
www.febeditora.com.br
@febeditoraoficial
@febeditora

Conselho Editorial:
Carlos Roberto Campetti
Cirne Ferreira de Araújo
Evandro Noleto Bezerra
Geraldo Campetti Sobrinho – Coord. Editorial
Jorge Godinho Barreto Nery – Presidente
Maria de Lourdes Pereira de Oliveira
Miriam Lúcia Herrera Masotti Dusi

Produção Editorial:
Elizabete de Jesus Moreira

Revisão:
Elizabete de Jesus Moreira
Perla Serafim

Capa e Diagramação:
Evelyn Yuri Furuta

Projeto Gráfico:
Rones José Silvano de Lima - instagram.com/bookebooks_designer

Foto de Capa:
http://www.dreamstime.com/ Harlanov
http://www.dreamstime.com/ Ig0rzh

Foto Chico Xavier:
Grupo Espírita Emmanuel (GEEM)

Normalização Técnica:
Biblioteca de Obras Raras e Documentos Patrimoniais do Livro

Esta edição foi impressa pela Viena Gráfica e Editora Ltda., Santa Cruz do Rio Pardo, SP, com tiragem de 5 mil exemplares, todos em formato fechado de 140x210 mm e com mancha de 104x168 mm. Os papéis utilizados foram o Off white bulk 58 g/m² para o miolo e o Cartão 250 g/m² para a capa. O texto principal foi composto em fonte Adobe Garamond 12/15 e os títulos em Adobe Garamond 28/30. Impresso no Brasil. *Presita en Brazilo.*